D0529997

LE MALENTENDU CONJUGAL

Causes et Remèdes

Docteur Yves Moigno

LE MALENTENDU CONJUGAL

Causes et Remèdes

ÉDITIONS GARANCIÈRE

ISBN 2-7340-0042-3

INTRODUCTION

Médecin et psychologue, mon métier est d'aider les couples en difficulté. Avec le temps, j'ai donc acquis une certaine expérience des problèmes conjugaux.

Depuis des années, des hommes et des femmes de toutes conditions et de tous âges se confient à moi et me font le récit de ce qu'ils croient être l'échec de leur vie sentimentale. Echec apparent qui leur semble celui de toute une existence. Chaque cas est évidemment différent des autres. Mais un thème domine toujours les confidences qui me sont faites : l'incompréhension. Une douloureuse incompréhension.

Comment, née d'un amour réciproque et sincère, une union peut-elle conduire à l'indifférence mutuelle, à des conflits incessants ou au drame ? Telle est en effet la question que se posent, à un moment ou à un autre, tous mes interlocuteurs.

Malgré une information toujours plus abondante, les problèmes du couple demeurent donc mal connus. Et cela est tout particulièrement vrai des raisons profondes des conflits qui peuvent naître en son sein.

Deux raisons essentielles expliquent une telle méconnaissance.

Comme l'on ne distingue que la partie émergée d'un iceberg, le couple victime d'une mésentente attribue à celle-ci des causes APPARENTES qui ne sont en réalité que les EFFETS d'un conflit sous-jacent, lui inapparent. Dès l'origine, la méprise est donc totale. Et les solutions apportées ou conseillées demeureront malheureusement sans efficacité réelle, puisqu'elles ignorent la véritable raison du différend. Totalement méconnue, celle-ci se trouve ainsi en mesure de multiplier ses effets pernicieux.

Les problèmes financiers, la conduite de l'éducation des enfants, les petits conflits provoqués par les relations familiales ou sociales du couple, l'exercice d'une profession par l'épouse ou la compagne et, le plus souvent, l'inadaptation sexuelle des deux partenaires... tous points dont l'importance ne saurait par ailleurs être sous-estimée, ne constituent en définitive que des PRETEXTES. Des prétextes dont se nourrit un malentendu insidieux qui trouve son origine première dans les relations quotidiennes du couple, et en l'absence duquel les questions soulevées auraient fait l'objet de solutions de compromis.

Autre écran qui s'oppose à la claire compréhension des raisons profondes du malentendu conjugal, la personnalisation des conflits. En cas de difficultés, le couple et son entourage commettent trop souvent l'erreur d'attribuer la responsabilité de la mésentente à l'un des deux conjoints. Faute de connaître les causes véritables du différend, il apparaît logique, mais il apparaît seulement, de voir dans l'un des partenaires la source unique de tous les maux dont souffre le couple. Et l'erreur se trouve facilitée par le fait que le partenaire mis en cause est susceptible d'exprimer sa propre souffrance par des attitudes et des propos qui peuvent passer pour autant de provocations. En fait, comme nous le verrons, il n'y a pas de coupable mais deux victimes, les malheureux conjoints.

La recherche maladroite d'un responsable a pour résultat la formation de deux clans antagonistes, qui enrôlent parents, amis et, malheureusement, les enfants quand il en existe. Deux clans qui s'affrontent, s'agressent, se renvoient mutuellement accusations et griefs dont la liste ne cesse de s'allonger.

Née en fait d'une incompréhension mutuelle souvent mineure qui s'est accentuée progressivement avec le temps, la mésentente accède ainsi brutalement au stade plus dramatique du conflit de personnalités. Antagonisme qui, dès lors, devient SA PROPRE CAUSE d'entretien et d'aggravation. De simple et sans gravité qu'il était à l'origine, le malentendu acquiert alors rapidement un aspect inextricable et insoluble. Livré à lui-même, se nourrissant de ses propres effets, il devient chaque jour plus dramatique. Le couple se trouve donc pris dans un véritable cercle vicieux qu'il entretient lui-même sans le savoir.

Or, apparemment inexplicable et insaisissable, paraissant défier toute logique, le malentendu conjugal se déroule TOUJOURS selon le même scénario. Il évolue selon des degrés et des étapes qu'un témoin averti reconnaît sans difficulté. Informé — et informer est précisément le but de ce livre — le couple se trouve alors en mesure de déjouer les pièges et de mettre un terme à un conflit qui n'obéit à aucune fatalité.

Car avec un peu de bonne volonté mutuelle, de compréhension et de tendresse, un couple peut résoudre par lui-même les inévitables difficultés de la vie à deux.

Il peut même obtenir bien davantage. Informé des causes réelles de ces difficultés et des solutions qu'il faut leur apporter, il est en mesure d'accéder à son plein épanouissement. Dans tous les domaines, social, professionnel, familial et sexuel, deux êtres qui s'aiment et se complètent peuvent en effet découvrir, grâce à leur mutuel enrichissement, une plénitude, une intensité d'émotions et de sensations, en un mot un bonheur, trop souvent ignorés.

Pour aider les couples dans leur recherche de l'équilibre et du bonheur, nous allons maintenant découvrir les mécanismes cachés du malentendu conjugal. Pour cela, en suivant les étapes de son développement, nous verrons ses différents aspects et nous prêterons une particulière attention à ses formes trompeuses ou inapparentes. Elles constituent autant de pièges dont il faut se méfier. Puis nous aborderons ses causes, qui ne manqueront pas de surprendre. Et, enfin, les solutions qu'il faut lui apporter.

UN MALAISE INAPPARENT

Bien avant le premier coup de tonnerre d'un orage qui grossit au-delà de l'horizon, le temps change imperceptiblement. Le ciel conserve sa transparence, le soleil brille toujours, mais la nature semble se figer. L'atmosphère s'alourdit de façon impalpable. De brutales bourrasques de vent agitent furieusement le feuillage des arbres, soulèvent d'épais nuages de poussière qui obscurcissent un instant l'horizon, puis retombent aussi soudainement qu'elles étaient apparues. Et s'établit le silence. Un silence lourd et oppressant.

Comparable en tout point à l'orage qui menace, le conflit entre deux conjoints s'annonce par une insaisissable dégradation du climat conjugal. Comme la braise qui couve longtemps sous la cendre, le malentendu mûrit en effet sournoisement. A bas bruit, il tisse lentement sa trame invisible, multiplie les apparences trompeuses dont il fait des pièges redoutables en leur donnant l'aspect de la plus grande banalité. Car son lent travail de sape est avant tout une entreprise de mystification soigneusement masquée. Ainsi, de méprise en méprise insoupçonnées, d'incident minime en incident prétendument dénué d'importance, par petites touches à peine perceptibles, s'établit insensiblement dans le couple une sourde tension dont les conjoints n'ont que rarement conscience.

Ce malaise, le plus souvent inapparent en raison de son caractère insidieux, existe TOUJOURS, quel que soit le type de conflit conjugal envisagé. Il peut s'étendre sur des mois, voire des années, accentuant ainsi son aspect particulièrement trompeur. Etape capitale au cours de laquelle se dessinent tous les événements ultérieurs, il demeure toutefois le stade auquel les couples pourraient le plus facilement résoudre leurs difficultés naissantes, s'ils étaient mieux informés du mal sournois qui les menace.

Mais si, malheureusement, le malaise initial attire en définitive fort peu l'attention des conjoints, il dissimule également sa véritable nature. Il se présente en effet longtemps sous des apparences qui n'évoquent en rien un problème conjugal. C'est pourquoi il s'avère essentiel de connaître les différents aspects qu'il peut prendre, tant chez la femme que chez l'homme.

LE MALAISE FEMININ.

C'est le plus souvent par une transformation progressive de son humeur et de son comportement que la femme souffre des premiers effets du malentendu conjugal. Par petites touches, comme un ciel d'été se couvre peu à peu, son caractère se modifie. Il subit une altération qui fait insensiblement de l'épouse le pâle et terne reflet de la jeune fille rencontrée voici quelques mois ou quelques années.

J'insiste toutefois sur un point. Cette transformation s'opère sur un rythme extrêmement lent. C'est pourquoi du reste elle passe le plus souvent inaperçue. Le conjoint, hélas, ne la découvrira que plus tard, quand elle sera devenue évidente.

Prenons un exemple pour illustrer ce phénomène tel qu'il se déroule dans la réalité. Mais surtout n'imaginons pas de drame, ni d'ambiance de pugilat. Tout au contraire, les événements que nous allons découvrir se produisent en l'absence de tout éclat. Le climat conjugal semble parfaitement normal et le couple paraît mener une existence exempte de difficultés particulières.

Voici donc une jeune femme qui, SANS RAISON APPARENTE, se montre progressivement moins enjouée, moins expansive. Son dynamisme et sa joie de vivre laissent toujours plus souvent la place à des moments de réflexion silencieuse. Déjà, elle paraît un peu absente. Mais ce n'est là qu'un début.

Nouveau signe qui va venir s'ajouter aux précédents, elle parle moins à son compagnon, auquel elle a tendance à ne plus se confier. Elle qui lui relatait volontiers le détail de ses journées, lui signalait les rencontres qu'elle avait faites, lui décrivait ses petites découvertes dans les magasins, se réfugie maintenant dans un mutisme un peu boudeur. Ses périodes d'absence morale deviennent plus nombreuses, et il lui arrive toujours plus souvent de s'évader dans des rêveries teintées de mélancolie.

Décrit en quelques lignes, ce changement d'état d'esprit pourra à la fois apparaître anodin et se révéler assez net pour attirer l'attention de l'entourage, ou du moins celle du conjoint.

Anodin, il ne l'est en aucune manière. En psychologie, toute altération DURABLE de l'humeur observée chez une personne traduit chez celle-ci l'existence d'une souffrance morale. Je ne saurais donc trop conseiller aux hommes de se montrer vigilants s'il leur advenait de constater chez leur compagne les petits signes que je viens d'exposer, et de rechercher avec elle les raisons profondes d'un malaise qui, encore discret, n'en constitue pas moins un avertissement à ne pas négliger.

Mais ces mêmes petits signes n'ont été mis en relief dans mon texte que par l'effet du raccourci littéraire. Dans la réalité, ils apparaissent insidieusement au cours d'une lente maturation qui s'étale sur des mois, voire des années. D'un jour à l'autre, la différence n'est donc pas perceptible et l'épouse semble toujours égale à elle-même. Cela explique l'absence de réaction du partenaire masculin — du moins pour le moment — et sa parfaite bonne conscience. Aucun doute ne l'assaille, car pour lui il ne se passe rien.

Le temps passant, le malaise dont souffre l'épouse affecte maintenant son comportement. Elle montre moins de goût et d'empressement pour les multiples activités qui, hier encore, trouvaient difficilement place dans son emploi du temps. Signe important, elle en vient à négliger son apparence corporelle et vestimentaire.

On la sent tendue, nerveuse. Un rien l'irrite ou la plonge dans une perplexité morose. Elle cède de plus en plus souvent à des accès de larmes inopinés, dont elle se trouve dans l'incapacité de donner les raisons, mais qui la laissent abattue. Cette fatigue anormale a du reste tendance à devenir permanente. Elle s'aggrave au fil des mois, résistant aux fortifiants et autres traitements qui lui sont opposés. La vie de la maison s'en trouve naturellement affectée. Le ménage laisse à désirer, certaines tâches quotidiennes restent en souffrance ou sont effectuées de manière approximative. Ce sont d'ailleurs souvent ces petits détails qui attirent enfin l'attention du partenaire masculin sans pour autant entraîner une réaction immédiate de sa part. Celle-ci se manifestera un peu plus tard, nous verrons dans quelles circonstances. Mais, dans l'immédiat, l'atmosphère conjugale connaît une subtile transformation et se teinte d'une vague morosité, d'un ennui impalpable.

Avant de découvrir ce qu'il adviendra des conjoints désormais tous deux atteints par le malaise initial, il nous faut étudier les autres aspects pris par celui-ci.

La tristesse et l'indifférence progressives que je viens de décrire représentent de loin la forme la plus fréquente du malaise initial chez la femme. Assez souvent, toutefois, ce même malaise se signale chez nos compagnes par une activité particulièrement intense, que celle-ci soit ménagère ou professionnelle. Dans le premier cas, l'épouse a déjà une réputation bien établie de parfaite maîtresse de maison. Ses qualités ne se sont jamais démenties depuis son mariage ou depuis la formation du couple. Elle entretient avec un soin particulier, avec minutie même, un intérieur qu'elle a aménagé avec amour. Elle appartient d'ailleurs le plus souvent à cette catégorie de femmes qui manifestent du goût pour des occupations telles que la couture, la broderie, la tapisserie, la peinture sur soie... occupations dont les produits servent ensuite d'éléments de décoration. En un mot, c'est une femme d'intérieur, par choix personnel. A ce titre, elle aime préparer des petits plats, inventer de nouvelles recettes, courir les brocanteurs pour découvrir l'objet original qui accentuera le confort et la chaleur de son foyer...

Jusqu'alors, ces traits de caractère ont assuré son équilibre, quand ce n'est son bonheur. Le malaise initial transforme cependant certains de ces traits en comportements caricaturaux, alors qu'il en élimine d'autres. Progressivement, le souci du ménage devient obsession, confine à la manie. Tout doit être net, décapé, lustré. Les activités de nettoyage et de rangement occupent chaque journée, du matin au soir. Il n'est plus question qu'un verre ou une tasse sales traînent un moment dans l'évier. Ils sont immédiatement lavés, essuyés, rangés. La poussière se voit pourchassée deux, trois fois par jour, et le plus petit grain qui s'est redéposé provoque instantanément une nouvelle intervention réparatrice. L'aspirateur à peine remisé dans son placard est aussitôt ressorti pour effacer la moindre trace du passage d'un enfant, du mari... Activité inlassable, envahissante, obsédante, qui épuise littéralement la malheureuse femme victime de cette forme particulièrement pénible du malaise initial.

Mais si celui-ci, par l'effet d'un perfectionnisme presque maladif, multiplie sans cesse des tâches ménagères pour la plupart superflues, il escamote, en revanche, les occupations assimilées auparavant à des plaisirs. C'est ainsi que l'épouse, désormais soucieuse seulement de propreté, ne prépare plus de petits plats, ni de bonnes recettes. Elle n'en a plus envie. Elle abandonne également ses travaux de couture, son canevas, ses pinceaux... qui représentaient pour elle autant de dérivatifs. Car son activité incessante s'accompagne d'une atteinte progressive de son moral. Son humeur connaît la même dégradation que celle décrite plus haut. Et ses interminables tâches ménagères ne constituent pour elle que la seule façon d'échapper à la sourde angoisse qui, chaque jour, l'oppresse toujours davantage.

Longtemps, ce comportement anormal n'éveillera pas les soupçons de l'entourage. Jamais en tout cas, il ne sera reconnu comme le signe révélateur d'un malentendu conjugal encore inapparent. Tout au contraire, une telle assiduité au travail provoque l'admiration, incite aux compliments flatteurs mais inconsidérés. Et la malheureuse épouse se voit reconnaître toutes les vertus de la parfaite ménagère. On la cite en exemple, elle pour qui l'existence apparaît désormais sans relief et se recouvre lentement d'un voile de terne grisaille.

Et ce n'est que plus tard, quand le partenaire masculin souffrira vraiment du manque de disponibilité de sa compagne à son égard, que l'activité manifestement excessive de celle-ci provoquera son inquiétude ou son irritation. Plus souvent son irritation que son inquiétude, d'ailleurs. Malheureusement, nous le verrons, les interprétations et les solutions proposées se révéleront aussi erronées les unes que les autres.

A quelques nuances près, le même phénomène se reproduit quand l'hyperactivité de l'épouse n'est plus ménagère mais professionnelle. Mais dans ce cas, le risque d'erreur d'interprétation s'avère encore plus grand.

La dépression morale, la fatigue et la nervosité du partenaire féminin sont en effet attribuées à l'excès de travail — qui y participe certes pour une part — alors que leur cause principale réside dans le malaise conjugal dont souffre ce même partenaire, et qu'il essaie d'oublier dans un surcroît d'activité professionnelle. L'effet est donc pris pour la cause. Evidemment, le repos et l'arrêt de travail auront un heureux résultat sur la fatigue purement physique. En revanche, ils aggraveront rapidement l'état moral de l'épouse, privée d'un dérivatif qui lui assurait un frêle équilibre. J'ai souvent observé la brutale dégradation d'une situation conjugale déjà précaire à la suite d'une cessation d'activité professionnelle bien imprudente. Désœuvrée, confrontée dès lors en permanence à son malaise, l'épouse sombrait en peu de temps dans une sorte de mélancolie dont nous verrons ultérieurement toutes les conséquences. La question n'est donc pas de démobiliser une femme qui s'absorbe trop dans son travail, mais de découvrir avec elle les raisons affectives pour lesquelles elle cherche ainsi à s'étourdir.

Par ailleurs, si le partenaire masculin s'accommode assez longtemps des travaux ménagers excessifs de sa compagne, il supporte beaucoup moins bien qu'elle consacre la majeure partie de son activité hors du domicile conjugal. L'homme n'a pas encore vraiment réglé le problème que lui pose l'exercice d'une profession par sa compagne. Il manifestera donc précocement des signes d'intolérance devant le caractère envahissant de l'emploi auquel elle se consacre avec excès, source de conflits supplémentaires qui aura pour effet d'accentuer le malentendu conjugal préexistant.

Ce qui précède m'amène tout naturellement à évoquer une autre forme du malaise initial chez la femme. On doit en effet penser à un malentendu conjugal encore inapparent devant l'apparition de manifestations agressives chez une femme qui, jusqu'alors, n'avait pas révélé de telles tendances. A regarder de plus près, on retrouve, là aussi, le changement apparent de caractère dont j'ai déjà parlé au début du présent chapitre.

Cette agressivité possède certaines caractéristiques qui permettent de la reconnaître si l'on est averti. Elle se développe et s'accentue progressivement sans raison précise. L'épouse, par exemple, fait toujours plus souvent des reproches à son compagnon. Griefs dont les prétextes apparaissent injustifiés ou totalement disproportionnés par rapport aux conflits qu'ils provoquent. Car le sujet de chaque dispute se révèle le plus souvent futile ou dépourvu de toute importance réelle. Manifestement, il s'agit donc bien de simples prétextes pour chercher des querelles dont l'objet est tout autre, puisqu'il concerne le malentendu lui-même. Mais, comme nous le verrons bientôt, c'est là un fait dont l'épouse n'a pas conscience. Son agressivité, qui va se prolonger et s'amplifier au cours du temps, constitue ainsi pour elle le moyen détourné et inconscient de traduire une souffrance morale qu'elle ressent confusément, sans être pour autant en mesure de l'exprimer clairement.

Cette même agressivité peut cependant revêtir d'autres aspects. Elle se traduit alors par de longs silences réprobateurs : l'épouse « fait la tête », de plus en plus souvent et toujours sans raison apparente. Ou dans d'autres cas, elle se laissera aller à des accès de mauvaise humeur tout aussi inexplicables, mais dont la fréquence ne cessera de s'accentuer.

D'autres fois, c'est le changement radical d'habitudes bien établies qui constituera chez la femme l'une des premières manifestations du malentendu conjugal. Ainsi, une épouse quelque peu casanière et attachée à son intérieur se découvrira soudain du goût pour les sorties et les voyages ou, en l'absence de toute contrainte financière, choisira d'exercer un emploi. Le cas inverse est encore plus fréquent. Les déplacements, les invitations, autrefois acceptés avec grand plaisir, sont désormais systématiquement refusés. L'épouse semble se replier sur elle-même et son foyer. En revanche, elle resserre ses liens avec sa propre famille, qu'elle fréquente plus assidûment, alors qu'elle avait eu tendance à espacer ce type de relations aux premiers temps de son union.

Enfin, de manière particulièrement fréquente, les premiers signes du malaise conjugal sont également susceptibles de se manifester dans le domaine sexuel. Mais c'est là une question que nous étudierons en détail dans les chapitres consacrés à la sexualité du couple.

Pour résumer ce qui précède, je dirai qu'en raison du malaise dont souffre l'épouse, le climat conjugal s'alourdit insidieusement. Progressivement s'installent une nervosité, une tension contenue, une irritation à fleur de peau, et cela en l'absence de toute raison précise. Mais je le répète, ces signes demeurent le plus souvent fort discrets et échappent ainsi fréquemment — du moins à ce stade précoce — à l'attention du conjoint et de l'entourage.

Cependant, quand ils sont perçus par ces derniers, ils font malheureusement l'objet d'interprétations erronées. C'est là le premier piège tendu par le malentendu conjugal.

Le conjoint et l'entourage, après avoir constaté chez l'épouse un changement de comportement dont la raison profonde ne peut que leur échapper, vont en effet lui attribuer une cause qui, bien qu'elle leur paraisse évidente, n'en sera pas moins fausse. Erreur qui n'est pas sans gravité, et cela à double titre. En premier lieu, elle va encore accroître le malaise dont souffre déjà la jeune femme. D'autre part, elle conduira à l'adoption de solutions qui demeureront évidemment sans résultats, puisqu'il y a méprise sur la cause réelle du malaise.

Ainsi, selon les cas, l'épouse se voit reprocher la fragilité de ses nerfs, son caractère prétendument capricieux, son oisiveté, le mauvais fonctionnement de son système hormonal, quand ce n'est une hérédité fâcheuse ou un quelconque trouble mental. Accusations aussi fausses qu'injustifiées, qui s'accompagnent naturellement de fermes conseils, d'exhortations au courage et à la volonté, si ce n'est de sévères mises en garde. Devant un tel assaut de « bonnes intentions » pourtant bien maladroites, l'épouse, tout aussi naturellement, se sent incomprise et injustement mise en cause. Car, si elle ressent confusément son trouble, elle n'en connaît pas la cause réelle, comme elle n'a pas conscience de son changement de comportement. Les remarques plus ou moins acerbes de son entourage ont donc pour effet d'aggraver son malaise en introduisant les germes du doute dans son esprit. Doutes sur les sentiments qu'on lui porte, doutes sur son propre équilibre psychologique. Ainsi son repliement sur soi ou son agressivité vont-ils encore s'accentuer. Ce qui ne peut que troubler davantage le conjoint et l'entourage, dont les réactions risquent de se révéler toujours plus inadaptées au problème qui se pose réellement. De la sorte, s'amorce déjà un phénomène de cercle vicieux dont l'importance ne cessera de croître au fil du temps. Nous allons du reste retrouver un mécanisme tout à fait similaire.

Chez la femme, les premiers signes du malentendu conjugal peuvent en effet se révéler particulièrement trompeurs. Car ils sont susceptibles de prendre le masque d'une affection médicale. Les troubles observés sont des plus divers.

Classées par ordre de fréquence, les affections nerveuses sont de loin les plus nombreuses. Et le malentendu conjugal apparaît sans conteste comme la cause privilégiée de la dépression chez la femme. Une dépression qui prend souvent une forme particulière. Développée à bas bruit, sans limite précise dans le temps, elle s'installe progressivement et se présente comme une sorte de mélancolie, d'apathie, de tristesse que rien ne saurait distraire. Pour faire image, je dirai que, sans raison apparente, la jeune femme semble s'enliser peu à peu dans la dépression. L'absence d'événement déclenchant sérieux et incontestable doit donc toujours faire penser à l'existence d'un malentendu conjugal inapparent.

Toujours par ordre de fréquence, l'angoisse, l'anxiété, le manque de confiance en soi et le sentiment de culpabilité viennent en second rang. Là aussi, on retrouve habituellement des caractéristiques que nous connaissons maintenant : installation insidieuse et progressive du trouble, absence d'évènement déclenchant.

Dans le domaine des affections purement médicales, il est fréquent d'observer des prises de poids anormales, accompagnées ou non de crises de boulimie ou, dans d'autres cas, des amaigrissements apparemment inexplicables, des insomnies souvent particulièrement rebelles. Mais également des migraines qui résistent à tous les traitements, des anomalies du cycle menstruel, des crises d'asthme, des éruptions dermatologiques, des troubles du fonctionnement de la glande thyroïde, de l'appareil digestif...

Toutes ces affections, dont la liste n'est pas limitative, se signalent par deux caractéristiques communes : l'absence de cause apparente sérieuse et une nette résistance aux traitements médicaux.

Ces faits ne sauraient nous surprendre. Leur origine réelle (le malentendu conjugal) demeurant cachée, les différentes affections que j'ai décrites semblent survenir sans raison précise. En outre, les traitements proposés ne s'adressant qu'à des EFFETS et non à la CAUSE, les troubles que celle-ci provoque réapparaissent dès l'interruption de l'action médicale.

Seul un exemple peut montrer combien sont trompeuses ces formes particulières du malaise initial. N'oublions pas que le problème qui se pose — ou du moins semble se poser — est celui d'une affection médicale. Entre diverses possibilités, prenons le cas d'une jeune femme mariée qui souffrirait de troubles digestifs. Ces derniers sont apparus voici quelques mois. Ils se sont installés progressivement, sans que l'on puisse leur fixer un début précis dans le temps. Ils se présentent sous la forme de digestions difficiles, de ballonnements, de douleurs vagues. Après avoir été quelque peu négligés, ils ont fait l'objet de petits traitements : bicarbonate, cachets effervescents... Mais ils persistent et ont même tendance à s'accentuer, ce qui inquiète la jeune femme qui en souffre. Comme ils ne font toujours pas la preuve de leur origine — puisqu'ils sont purement nerveux — et qu'ils résistent aux traitements entrepris, on assiste alors à ce que j'appellerai une escalade médicale. Les analyses, les examens, les radiographies sont multipliés, évidemment sans apporter de résultats concluants. Tous les bilans, même les plus complexes, se révèlent parfaitement normaux. Pourtant, la « malade » continue de souffrir de douleurs qui ne sont pas imaginaires mais bien réelles. Son état tend même à s'aggraver. On essaye donc de nouveaux médicaments, on fait appel à des méthodes d'exploration encore plus approfondies. Sans plus de succès.

L'épouse qui souffre se croit maintenant atteinte d'une affection mystérieuse mais incurable, que la médecine se révèle incapable de déceler. Et l'escalade médicale se poursuit de plus belle. On consulte de nouveaux spécialistes, on recourt à une, puis deux, puis trois hospitalisations... On cherche, en vain. Car on ne trouve rien, puisqu'il n'y a rien à trouver.

L'apparence médicale du malaise initial masque ainsi toujours davantage le véritable problème : celui d'un malentendu conjugal à ses débuts. Ce dernier, totalement ignoré, a donc tout loisir de multiplier ses méfaits et les symptômes dont se plaint l'épouse.

Dans ces conditions, on comprend aisément la perplexité des médecins, du conjoint et de l'entourage confrontés à de tels cas. Or il est important de savoir que, à ce stade du malaise initial, la malheureuse épouse, première victime du malentendu, se trouve le plus souvent dans l'impossibilité absolue de donner les véritables raisons de son état. Etat dont elle n'a pas toujours du reste une exacte conscience, quand son trouble se limite à une modification de son humeur ou de son comportement.

Si, à l'exception des cas où elle souffre d'une affection apparemment médicale, on l'interroge sur les raisons de son malaise, elle dit ressentir un trouble indéfinissable, une nostalgie vague et confuse, une sorte de désillusion dont elle ne saurait désigner les causes précises. Elle se sent mal à l'aise, en elle-même et dans son environnement. L'appartement ou la maison qu'elle avait meublée ou décorée avec amour, il y a quelques mois ou quelques années, la laisse maintenant indifférente. Comme la laissent indifférente ses amis et ses occupations habituelles. Il s'agit donc bien d'un malaise, sournois et indéfinissable, mais dont l'épouse ne saurait être tenue pour responsable puisqu'elle en ignore elle-même la cause.

Victime innocente, elle se trouve en outre menacée par un piège redoutable. Le temps passant, son changement d'humeur ou l'affection médicale dont elle semble souffrir produit ses premiers effets sur son conjoint, ainsi gagné à son tour par le malaise ambiant. Or — et là réside le piège — l'épouse a trop souvent tendance à se rendre coupable du trouble qu'elle observe maintenant chez son mari, quelle que soit du reste la manière dont celui-ci réagit.

Préparée par son éducation à l'idée qu'il lui incombe de rendre heureux son partenaire, elle se croit à priori responsable de tout incident susceptible de perturber son ménage. La réalité est différente, bien entendu. Mais ce préjugé ne s'en trouve pas moins profondément enraciné dans l'esprit d'une femme, même s'il lui arrive de s'en défendre.

C'est pourquoi l'épouse qui souffre des premiers effets du malentendu conjugal se sent coupable du malaise qu'elle perçoit maintenant chez son compagnon. Si ce dernier paraît malheureux, nerveux, insatisfait ou impatient, ce ne peut être que de sa faute, à elle. Ainsi va-t-elle peu à peu se convaincre de n'avoir pas mis en œuvre tout ce qui était en son pouvoir afin de satisfaire pleinement son compagnon. Insensiblement, une idée s'impose à son esprit : elle est une mauvaise épouse, une médiocre maîtresse, une personne sans grâce et sans charme. Si le malaise initial a pris chez elle la forme d'une affection médicale, elle se reproche son état de perpétuelle malade.

Ce sentiment de culpabilité — parfaitement injustifié, j'insiste sur ce point — et la remise en cause de soi qui l'accompagne, ne cessent de croître et de s'étendre. Naturellement, ils accentuent le malaise initial dont les signes se précisent. Ainsi le moral de l'épouse se dégrade-t-il encore un peu plus, alors que s'accentuent les anomalies de son comportement. Quand elle semble souffrir d'une affection médicale, les symptômes de cette dernière connaissent une nouvelle aggravation. N'oublions pas un détail important, la détérioration de l'état moral ou physique de l'épouse survient sans raison apparente et demeure parfaitement inexplicable. L'absence de cause décelable constitue un signe de première importance, qui doit toujours faire penser à l'existence d'un malentendu conjugal inapparent.

L'aggravation de l'état de sa partenaire entraîne évidemment des réactions encore plus nettes de la part du conjoint, désorienté ou irrité. Réactions qui, elles-mêmes, vont à leur tour accentuer le malaise éprouvé par l'épouse. Le cercle vicieux dont j'ai parlé plus haut est maintenant en mouvement. Son rythme ne cessera plus de s'accélérer. Déjà, le malentendu conjugal se nourrit de ses propres effets. C'est du reste ce que nous allons vérifier en étudiant le malaise masculin.

LE MALAISE MASCULIN.

La femme est le plus souvent la première victime du malentendu conjugal. En raison de sa sensibilité et de son intuition, elle perçoit bien avant son partenaire le malaise encore très vague qui règne dans son couple. Quand, en revanche, les premiers signes se manifestent chez l'homme, il souffre d'affections comparables à celles que j'ai décrites chez sa compagne. Seule différence notable, l'entourage et le corps médical pensent encore moins souvent à l'origine conjugale de ces maladies apparentes. A cette exception près, on retrouve, selon les cas, des dépressions, de l'anxiété, une perte de confiance en soi, un manque de dynamisme, d'ambition, un repliement sur soi. Ou, des troubles digestifs, de fausses affections cardio-vasculaires, rhumatismales, respiratoires...

Ces différents symptômes, qu'on ne retrouve évidemment pas tous chez une seule et même personne, possèdent les mêmes particularités que ceux observés chez la femme : début insidieux et sans limite précise dans le temps, absence de cause apparente, résistance aux traitements médicaux.

Dans le cas qui nous occupe, c'est évidemment l'épouse ou la compagne qui prendra progressivement conscience du malaise dont souffre son partenaire. Sa psychologie féminine lui fait adopter, le plus souvent, une attitude de compassion, d'assistance et de compréhension qui, on ne peut que le regretter, fait fréquemment défaut chez l'homme. C'est du reste ce que nous allons vérifier.

L'homme, en définitive, ne fait le plus souvent que réagir au malaise dont souffre sa compagne. Cela n'implique en rien que cette dernière soit responsable du malentendu conjugal, mais tout simplement qu'elle est la première à en ressentir les effets.

Réagir ne signifie cependant pas prendre conscience. Dans un premier temps, dont la durée paraît variable, le partenaire masculin ne discerne pas le trouble de sa compagne. Moins intuitif que celle-ci, moins attentif aux nuances — et ce n'est pas là la moindre de ses négligences — il se montre surtout sensible aux changements survenus dans les petits détails de sa vie quotidienne. Il s'irrite, par exemple, du retard pris dans le nettoyage de son linge et de ses vêtements. Retard qui est la conséquence pratique de l'altération du moral de sa partenaire. Il constate que le ménage de la maison laisse de plus en plus souvent à désirer. S'il a du goût pour l'ordre, le certain laisser-aller qu'il observe dans son intérieur provoque en lui un vague sentiment d'agacement. Autre point sensible chez lui, les repas. C'est non sans irritation qu'il découvre de plus en plus fréquemment sur sa table des conserves, de la charcuterie, des plats tout préparés qui remplacent, si sa femme n'exerce pas un emploi, les petites spécialités que celle-ci, troublée, n'a plus le cœur de lui cuisiner.

Un degré supplémentaire de son agacement se trouve franchi quand sa compagne en vient à se dérober aux sorties qu'il lui propose, à sa présence, à ses tentatives de rapprochement, trop souvent maladroites.

Ce qu'il vit alors comme un irritant manque de disponibilité de son épouse à son égard s'accentue encore lorsque le malaise de cette dernière prend la forme d'une activité incessante et inlassable, qu'il s'agisse de travaux ménagers superflus ou de l'exercice d'une profession devenue envahissante. Il en ressent un sentiment de frustration renforcé par sa frustration sexuelle. Quand nous étudierons les problèmes sexuels, nous verrons en effet combien l'homme se montre sensible aux difficultés de cet ordre qui surviennent dans ses relations avec sa partenaire.

Aucun de ces faits, sinon la question sexuelle, n'a cependant par lui-même une importance déterminante. Isolés, ils passeraient inaperçus ou finiraient par être acceptés. Mais leur accumulation au fil des jours, qui alourdit insensiblement l'atmosphère conjugale, joue le rôle de révélateur. Le partenaire masculin prend alors peu à peu conscience du changement de comportement survenu chez sa compagne. Et c'est précisément cette prise de conscience, liée à sa frustration croissante, qui sera à l'origine de son propre malaise.

Malaise qui chez l'homme est assimilable à un inconfort moral et physique. Son univers familier ressemble de moins en moins à celui dans lequel il avait pris ses habitudes. Impression qui l'irrite et le déconcerte. Il se sent malheureux et souffre de ne pas retrouver les petites attentions féminines qui constituent à ses yeux autant de preuves d'amour et de tendresse. Car la femme qu'il découvre dans sa compagne — qu'il aime toujours — lui paraît une étrangère ou, du moins, fort différente de celle à laquelle il a uni son existence voici quelques mois ou quelques années.

Mais le fait que son couple soit concerné ne lui vient cependant pas à l'esprit. Du moins, s'il lui paraît mis en cause, c'est par effet de conséquence, dans la mesure où le comportement « anormal » de sa compagne lui semble incompatible avec l'idée qu'il se fait de la vie du couple. Dans son esprit, c'est sa partenaire qui est concernée, ELLE SEULE. Confusément, il la tient déjà pour responsable du malaise qui perturbe son existence quotidienne.

Erreur, grave malentendu, mais malentendu qui s'explique et qu'il faut expliquer pour éviter qu'il ne se produise.

Trop souvent, malheureusement, l'homme est élevé dans l'idée trompeuse selon laquelle la femme serait un être inconstant, imprévisible et fantasque. Un être prétendument fragile et capricieux, dont l'humeur changeante n'obéirait à aucune raison. Un être tellement caricaturé à ses yeux qu'il demeure souvent pour lui, bien qu'il s'en défende, un mystère qui le déroute. Mais un être qui aurait des obligations envers lui.

Cette profonde et étonnante ignorance dans laquelle l'homme se trouve de la réalité féminine nous permet de comprendre que, confronté au malaise de sa partenaire, il se trouve à la fois ne pas comprendre le comportement de cette dernière et qu'il voie inconsciemment en elle une coupable. A ces yeux, elle est pour le moins responsable de négligence à son égard et de laisser-aller dans les tâches qui sont censées lui incomber. C'est pourquoi du reste il adopte le plus souvent à l'égard de sa partenaire « fautive » deux types d'attitudes : l'indifférence et l'agressivité.

Je dois toutefois préciser que cette façon de réagir est involontaire et spontanée, comme sont involontaires et spontanés les troubles de l'épouse. Et c'est d'ailleurs pour cela qu'elle est dangereuse pour le couple, car, pour celui qui n'en est pas averti, elle échappe au contrôle de la conscience. Profondément liée à la psychologie masculine, formée par l'éducation personnelle et l'évolution de l'espèce, elle constitue donc un piège qu'il faut éviter à tout prix.

Habituellement, indifférence et agressivité se trouvent associées chez l'homme en état de malaise initial. Elles alternent alors en fonction des situations. Elles peuvent cependant s'observer isolément, et l'une ou l'autre constitue alors le type de réaction prédominant chez un certain individu.

Mais au stade où nous demeurons encore, celui du malaise inapparent, insidieux et trompeur, le partenaire masculin adopte le plus souvent une attitude surtout faite de pseudo-indifférence. Provisoirement, son agressivité ne se manifestera que par brefs accès, essentiellement verbaux. La franche hostilité ne surviendra que plus tard, lors des premiers accrochages. C'est donc cette phase encore floue et incertaine que je vais maintenant décrire.

Dérouté et agacé, tel nous est donc apparu l'homme dont la compagne souffre des premiers effets du malentendu conjugal. Dérouté et agacé car son foyer n'a plus cette chaleur intimiste et, surtout, cette rassurante organisation matérielle qu'il aime retrouver le soir. Car sa compagne lui SEMBLE absente ou indifférente, voire hostile.

Si une telle situation représente à ses yeux un grave manquement aux règles tacites du contrat conjugal, elle ne le laisse pas moins moralement désarmé. Car tout ce qu'il croit savoir de la femme le persuade du caractère profondément illogique de l'attitude adoptée par sa partenaire. Il demeure donc encore dans une position de doute et d'expectative. Si, par le seul raisonnement, il se trouve dans l'incapacité de résoudre le problème qui se pose à lui, il n'a pas atteint le seuil d'irritation qui, ultérieurement, le poussera à des solutions plus radicales.

Révélatrice du trouble auquel il se trouve confronté, son indifférence, toute apparente, traduit ainsi à la fois sa muette réprobation et un repli fataliste sur soi devant une situation de fait qui lui paraît aussi douloureuse qu'insoluble.

C'est pourquoi, par exemple, nous le voyons rentrer chez lui de plus en plus tard. Un travail imprévu ou la rencontre inopinée d'une vieille connaissance servent de prétextes à des retards toujours plus fréquents. S'il est cadre, homme d'affaires ou membre d'une profession libérale, les voyages d'études, congrès, stages de formation se succèdent à un rythme sans cesse croissant.

Quelle que soit sa profession, bien d'autres activités constituent autant d'excuses pour déserter son foyer : réunions sportives, politiques, syndicales... ou des loisirs tels que la pêche, la chasse... Puis vient le temps où il ne justifie même plus ses absences ou ses retards. Comme le vieil habitué d'une pension de famille, il vit en hôte-payant sous le toit conjugal.

Mais son indifférence peut prendre une forme plus insidieuse. Par son apparente banalité, elle se révèle particulièrement dangereuse. Dès son retour à la maison, il va directement s'isoler dans son bureau ou dans l'atelier qu'il s'est aménagé. S'il ne dispose pas d'une pièce réservée à son seul usage ou s'il n'est pas bricoleur, il s'absorbe dans le spectacle de la télévision ou dans la lecture d'un livre, dans ses comptes, dans une collection de timbres-poste...

Mais, je tiens à le préciser, cette indifférence n'est qu'un faux-semblant. En fait, le partenaire masculin souffre. Il se sent seul aux côtés d'une compagne qui lui paraît inaccessible et insensible à sa présence. Elle, dont il attend la tendre sollicitude et l'admiration amoureuse qui lui donnent sa pleine dimension masculine, semble l'ignorer, lui dénier toute valeur et toute existence. Là est la source profonde de son malaise qui ne cessera de s'accentuer et le conduira à s'enfermer toujours davantage dans sa muette et douloureuse réprobation.

Le ménage vit maintenant dans une atmosphère d'autant plus pénible, qu'en fait il ne se passe rien. Du moins, en apparence. Observé de l'extérieur, le couple semble mener une existence parfaitement normale. Le mari travaille et occupe ses loisirs. Sa compagne paraît veiller au train de la maison. Mais en réalité, les conjoints sont déjà séparés par un mur d'incompréhension. Les paroles qu'ils s'adressent, les gestes qu'ils ont l'un envers l'autre ne concernent déjà plus que les nécessités de la vie quotidienne. Une fois réglés les problèmes pratiques, chacun s'isole dans son propre univers d'amertume, s'enferme dans son mutisme résigné.

Et les jours succèdent aux jours. Morne suite d'événements machinalement répétés, de terne cohabitation, de silences toujours plus intolérables. Un silence lourd et douloureux qu'entrecoupent des accès d'agressivité aussi soudains qu'imprévisibles. Reproches, critiques, adressés par le mari à l'épouse sur la base d'un incident le plus souvent futile, mais aussi par l'épouse au mari sous des prétextes tout aussi dénués d'importance. Puis reviennent le silence, l'indifférence feinte mais renforcée par le brutal accès de fièvre qui vient de se produire.

UN ANTAGONISME NAISSANT.

Sournoisement, imperceptiblement, un antagonisme s'établit donc entre les deux conjoints. Ils ne sont pas encore des adversaires, mais ils ne se regardent déjà plus avec les mêmes yeux. Ils s'observent, s'étudient, s'interrogent sur leurs comportements respectifs. L'atmosphère qui règne entre eux se dégrade insensiblement.

Cet antagonisme naissant est un piège que la logique absurde du malentendu conjugal tend à deux êtres qui s'aiment. Il a en effet des conséquences pernicieuses que tout couple doit connaître.

Il a ainsi pour premier résultat de masquer aux yeux du partenaire masculin le malaise dont souffre sa compagne. Car le mari n'a pris conscience QUE DES EFFETS de ce malaise, et non de sa réalité même. Et ce, ainsi que nous l'avons vu, en raison des perturbations survenues dans sa vie quotidienne. Mais il n'a le plus souvent aucune idée de la souffrance morale de celle qui partage son existence. Les difficultés qu'elle rencontre à ce stade précoce du malentendu conjugal, son état de mal être, ses doutes, il les ignore en toute bonne foi. Il ne pense même pas qu'ils puissent exister. Dans son esprit, nous l'avons vu également, son épouse ne fait preuve que de négligence, si ce n'est de mauvaise volonté. Or les raisons de cette prétendue négligence vont totalement lui échapper.

ANTAgonisme: une rivalité lutte entre les conjoints.

En effet, l'antagonisme naissant qui va opposer les conjoints vient brouiller les cartes, accentuer encore davantage le malentendu. L'image d'un être négligent que le mari a déjà de sa partenaire se double alors de celle d'un être qui lui en veut personnellement, qui se comporte volontairement de façon désagréable à son égard. Ainsi le malaise de l'épouse est-il pris pour de l'hostilité. L'idée que cette épouse puisse elle-même souffrir n'aura pas l'occasion de naître, elle sera purement et simplement escamotée par les premiers ressentiments.

Deuxième conséquence désastreuse de l'antagonisme naissant entre les conjoints, il semble confirmer les préjugés que le mari nourrit déjà à l'encontre de sa compagne. Ainsi se trouveront apparemment justifiées les mesures de rétorsion, sinon les sanctions qu'il prend et prendra à son égard.

Par ses silences, son repliement sur soi et ses éventuels accès d'agressivité — qui ne sont, ne l'oublions pas, que la traduction de sa propre souffrance — l'épouse « négligente » apparaît alors en effet aux yeux de son mari sous les traits de la « mauvaise » épouse. Selon la logique masculine, elle mérite donc d'être « punie » par un surcroît d'indifférence ou d'agressivité. Violence qui risque de devenir physique.

Une telle éventualité n'a rien de théorique. Je suis en effet toujours aussi surpris et confondu de constater chaque jour dans l'exercice de mon métier combien est grand le nombre de femmes battues, et cela dans tous les milieux. Il serait souhaitable que les hommes découvrent enfin qu'ils n'exercent aucun droit de propriété sur leurs compagnes et que celles-ci ne sont pas des objets dont ils pourraient disposer au gré de leurs humeurs.

Ceci étant précisé, il apparaît certain que le raidissement de l'attitude du mari ne restera pas sans effet sur le malaise dont souffre sa compagne. C'est la troisième et dernière conséquence de l'antagonisme naissant.

LE COUPLE MYSTIFIÉ.

Quand nous avons étudié le malaise féminin, nous avons vu l'épouse qui souffre de celui-ci gagnée progressivement par un manque de confiance en soi toujours plus accentué. Que ses troubles soient purement psychologiques ou qu'ils se présentent sous l'aspect d'une affection apparemment médicale, vient en effet un moment où elle ne peut que s'interroger sur son aptitude à mener une vie « normale ». C'est donc un être moralement et même souvent physiquement diminué qui se trouve confronté à la sourde hostilité de son compagnon.

Les silences prolongés de celui-ci, ses absences, ses critiques et ces accès de mauvaise humeur, constituent pour une femme autant d'accusations implicites. Selon les préjugés de notre société, la femme ne doit-elle pas assurer le bonheur et le confort moral et physique de son partenaire ? Si celui-ci manifeste ou SEMBLE MANIFESTER du mécontentement, la faute n'en revient-elle pas à son épouse, suspecte de graves défaillances ?

La réalité est évidemment tout autre. Chaque conjoint est solidairement responsable de l'épanouissement de son partenaire. Le bonheur se construit à deux. Mais, malheureusement, trop de femmes réagissent inconsciemment comme si le système fonctionnait à sens unique et s'attribuent, tout aussi inconsciemment, l'entière responsabilité de l'équilibre de leur couple.

Dans ces conditions, l'indifférence et l'agressivité du mari, qui viennent de subir une nouvelle aggravation, ont naturellement pour résultat d'accentuer encore les doutes de sa compagne et, par voie de conséquence, le malaise dont souffre celle-ci.

Et cela avec d'autant plus d'acuité que les doutes de l'épouse vont maintenant s'étendre à un nouveau domaine, celui-ci particulièrement douloureux, comme nous allons le voir.

Souvenons-nous, cette épouse est un être qui souffre. Elle serait donc en droit d'attendre de la part de son compagnon, de l'homme qu'elle aime, un surcroît d'attention et de compréhension. Or, au lieu de cela, elle est la cible d'une hostilité qui, pour n'être encore que masquée, n'en demeure pas moins perceptible, d'autant plus perceptible qu'elle est devenue quotidienne. Cette hostilité représente donc pour l'épouse une inexplicable et douloureuse surprise. Au point qu'elle sera bientôt conduite à s'interroger sur la véritable personnalité de l'homme qui partage sa vie, puis sur les sentiments de celui-ci à son égard. Car une idée inquiétante s'est insidieusement insinuée dans son esprit : celui qui aime ne se comporte pas ainsi, il fait preuve de tendresse et de sollicitude. Ce nouveau doute parasitera progressivement toutes ses pensées. Il provoque chez elle un sentiment de profonde solitude et de douloureux isolement, qui ne restera évidemment pas sans conséquences sur les troubles dont elle souffre déjà.

Le mécanisme de cercle vicieux dont j'ai déjà parlé joue alors pleinement. L'aggravation du malaise de l'épouse entraîne inexorablement une nouvelle accentuation de l'indifférence et de l'agressivité de son compagnon. Indifférence et agressivité toujours plus nettes qui auront les effets que l'on devine. Insensiblement, mais de façon apparemment inévitable, l'antagonisme entre les deux conjoints ne cesse de croître. A ce stade, il demeure encore insidieux, sournois, fait plus de silences réprobateurs et de ressentiments que de crises violentes. Mais degré par degré, il empoisonne toujours davantage l'atmosphère du couple.

La méprise est donc déjà totale. Peut-on en effet imaginer situation plus absurde, plus tragiquement invraisemblable ? Voici deux êtres qui s'aiment, car ils s'aiment, il ne faut pas l'oublier. Pourtant, l'épouse, doutant d'elle-même et des sentiments de son compagnon, recroquevillée dans sa solitude, sur la défensive, est prête à répliquer à tout ce qui lui SEMBLERA une agression. L'occasion ne lui en manquera pas du reste. Car le mari, lui, se croyant lésé, se méprenant sur les intentions et la personne de sa compagne, manie inconsidérément des sanctions susceptibles de provoquer son propre malheur et celui de sa partenaire. Et chaque nouvel incident les conduira tous deux à se méprendre toujours davantage, à approfondir encore un malentendu dont ils n'ont même pas conscience.

Aussi est-il légitime de comparer le malentendu conjugal à une machine infernale. Une fois son mécanisme enclenché, il échappe au contrôle de deux êtres qu'il mystifie totalement. Deux êtres qui sont ses dupes et ses victimes. C'est pourquoi il est si important de bien le connaître et de maîtriser son fonctionnement, afin de mettre au plus tôt un terme à l'enchaînement apparemment inexorable de ses méfaits.

LA ROUTINE CONJUGALE.

La routine conjugale représente une forme mineure du malentendu conjugal. Mais si celui-ci transforme progressivement les conjoints en adversaires déclarés, la routine les enlise insensiblement dans une mutuelle indifférence. A terme, le risque demeure donc identique : la rupture du couple. Nous verrons du reste que les deux phénomènes découlent des mêmes causes.

Tout l'intérêt de la routine conjugale réside dans le fait qu'elle constitue une illustration presque idéale du malaise initial qui nous occupe actuellement. En surface, il ne se passe rien ou fort peu de chose. Pour l'entourage et les familles respectives des deux conjoints, le couple semble mener une existence normale. Il peut même paraître heureux. Rien ne laisse deviner qu'il se trouve menacé par un trouble inapparent.

Les époux eux-mêmes n'ont pas une claire vision de la dérive qui les sépare insensiblement. Car, longtemps, ils éprouvent le sentiment de former un couple semblable à des milliers d'autres. Ils vivent sous le même toit, se retrouvent à la même table, dorment ensemble et font l'amour. Mais cela, sans chaleur, sans imprévu. L'habitude tient lieu de passion.

Insensiblement, chacun s'installe dans sa petite vie personnelle. Non qu'il soit accaparé, comme on le croit trop souvent, par une profession envahissante ou par des occupations privées trop prenantes, mais parce qu'il se réfugie et s'absorbe inconsciemment dans ces activités pour se masquer le vide de sa vie conjugale.

Car celle-ci s'est peu à peu réduite à la cohabitation d'un homme et d'une femme que l'esprit du contrat conjugal conduit à se rendre quelques services pratiques. Il est en effet dans l'ordre des choses que la femme entretienne le ménage de la maison, prépare les repas et surveille l'éducation des enfants. Et que l'homme subvienne, pour tout ou partie, au financement des dépenses, prenant en charge les questions administratives et fiscales — tâches auxquelles du reste il lui arrive assez souvent de se dérober. Il est en effet dans l'ordre des choses que la femme se prête à des étreintes sexuelles transformées en rites par leur fastidieuse monotonie. Le couple fait l'amour par respect de devoir conjugal, comme il prend ses repas à heures fixes, et non parce qu'il a su provoquer un désir mutuel dont l'acte sexuel constitue l'épanouissement.

Le couple n'est plus formé de deux amants, mais de deux associés compréhensifs ou consentants. A ses propres yeux, unit-il encore un homme et une femme ? Assurément non, puisque ni l'un ni l'autre n'éprouve plus le désir de séduire son partenaire. Pourquoi chercher à plaire quand on se croit assuré de ses droits acquis ? On peut donc vaquer tranquillement à ses petites affaires et profiter, quand le besoin s'en fait ressentir, des avantages offerts par la présence sous son toit d'un partenaire respectueux des obligations conjugales. La routine conjugale, en définitive, c'est le minimum garanti de l'amour.

Mais à ce jeu, tout le monde perd et personne ne gagne. Que sont devenues les impatiences et les émotions du premier temps de l'amour ? Elles se sont réduites à des plaisirs étriqués et émoussés. Ses illusions perdues, chaque conjoint se replie sur sa sourde frustration, dans le silence de son amertume inexprimée. Il ne laisse rien deviner, mais la blessure secrète est profonde.

Tout le danger est là. Et le destin de ce couple fragilisé dépend maintenant des circonstances. Si aucun obstacle n'interrompt sa lente dérive, il évolue vers l'indifférence mutuelle la plus complète. Mais qu'un événement imprévu — une relation extra-conjugal le plus souvent — révèle à l'un des conjoints sa misère sentimentale, et le drame éclate. L'évolution de la routine conjugale rejoint alors le point où nous avons laissé le malentendu conjugal : les deux partenaires vont s'affronter, ouvertement cette fois.

LES PREMIERS ACCROCHAGES.

Jusqu'à présent, le couple qui souffre des premiers effets du malentendu conjugal s'est cantonné dans une attitude de sourde hostilité. Une hostilité qui, du reste, demeure superficielle. En fait, chacun doute et s'interroge. Par son comportement de feinte indifférence, chaque partenaire provoque chez son conjoint du ressentiment et de pénibles frustrations, mais il n'est pas encore perçu comme un adversaire déclaré. On lui en veut, certes, mais on l'aime toujours. Je dirais même qu'on lui en veut d'autant plus que le sentiment éprouvé pour lui se révèle plus grand.

Provoqués par la frustration éprouvée par chaque conjoint, de brefs accès de fièvre se sont déjà produits et ont eu tendance à devenir toujours plus fréquents. Ce n'est rien encore — quel couple ne connaît pas de tels incidents ? — mais une dangereuse tension règne dans le ménage. EN L'ABSENCE DU MALENTENDU, elle se dissiperait rapidement, quitte à se reproduire quelques jours ou quelques semaines plus tard et à redisparaître aussitôt. Mais dans le contexte du malentendu qu'elle accentue, elle confère progressivement au partenaire l'apparence d'un adversaire. Par un simple effet de logique, les accrochages seront encore plus fréquents, plus sévères, alors que leurs prétextes se révèleront toujours plus futiles. Car vient bientôt le temps où le motif de la dispute ne présente plus aucune importance. Chaque conjoint n'éprouve plus que le besoin d'exprimer, de crier, sa souffrance et son ressentiment, son hostilité à celui dans lequel il voit l'unique source de sa douleur. Le premier motif, n'importe lequel, est alors le bon. Les hostilités sont déclarées. Et le couple est prêt pour aborder la seconde phase du malentendu conjugal : les troubles sexuels.

LES TROUBLES SEXUELS

chez la femme

Le malaise initial que je viens de décrire existe toujours. Mais pour le couple qui en est victime, il prend le plus souvent l'aspect de brouilles passagères comme il s'en produit dans tous les ménages. Par lui-même, malheureusement, il n'attire donc pas spécialement l'attention et ne se voit pas attribuer sa véritable signification : celle de signe annonciateur de la grave menace qui pèse sur les deux conjoints. Ces derniers, en raison de l'ampleur prise par les événements qui lui succèdent, auront en outre tendance à l'oublier.

Dans ces conditions, le malentendu conjugal PARAIT fréquemment trouver son origine dans la phase des troubles sexuels, qui n'en est cependant qu'une CONSEQUENCE et NON LA CAUSE.

J'insiste particulièrement sur ce point. Car il est trop souvent à l'origine d'erreurs de diagnostic en matière de problèmes conjugaux et, donc, d'échecs dans leur traitement. La méprise sur la cause conduit en effet à l'adoption de solutions purement sexuelles qui, ainsi que nous le verrons, aggravent les difficultés du couple au lieu de les résoudre. La description des faits va du reste nous permettre de vérifier l'exactitude de mes propos. Nous commencerons par les difficultés propres à la femme.

UN DEBUT INSIDIEUX.

Aussi insensiblement progressifs que le malaise qui les a préparés, les troubles sexuels de la femme se développent insidieusement.

Dans le climat de malaise inapparent décrit au chapitre précédent, les relations du couple se sont dégradées. Certes de façon impalpable, mais les réticences voilées, les silences prolongés et les diverses frustrations, ont fait des amants d'hier des conjoints engagés dans la routine un peu morne de la vie à deux dépourvue de toute passion.

Rien de dramatique donc. Plutôt un ennui, une résignation un peu mélancolique qui n'osent pas dire leurs noms. Les accès d'agressivité, qui ont eu tendance à se multiplier, ont encore accentué ce sentiment de désenchantement.

La sexualité du couple s'est engagée sur la même pente dangereuse. Peu à peu, les rapports physiques ont perdu leur caractère passionnel et spontané, pour devenir routiniers, comme s'ils répondaient à une obligation soigneusement programmée. Les rapprochements sentimentaux qui les précédaient, les jeux érotiques dont ils étaient l'épanouissement, se sont estompés, puis ont disparu. Et l'acte sexuel s'est trouvé réduit à une morne étreinte, qui réunit pour quelques instants deux partenaires apparemment privés d'imagination et de tendresse.

A ce stade précoce, l'épouse se révèle la principale victime de ce qui n'est devenu que la triste caricature d'une sexualité épanouie. D'ailleurs, ses désirs physiques se raréfient, quand ils ne la laissent pas déjà totalement insensible.

C'est pourquoi du reste nous la voyons se dérober toujours plus fréquemment aux avances sexuelles de son partenaire. En toute bonne foi, elle invoque des prétextes divers pour justifier des refus qui ne cesseront plus de se répéter : malaise, migraines, fatigue, crainte d'éveiller l'attention des enfants...

J'ai écrit « en toute bonne foi », car l'épouse ressent vraiment les troubles dont elle se plaint, comme elle éprouve sincèrement les craintes qu'elle allègue. Il n'y a donc aucune malignité ou mauvaise volonté de sa part. Et son attitude ne résulte en rien du désir conscient ou inconscient de « punir » son partenaire. Elle ne fait du reste aucune relation — du moins provisoirement — entre ses refus et son désenchantement sexuel, qui se perd d'ailleurs dans l'ensemble des manifestations du malaise initial.

Ses refus déguisés attirent d'autant moins son attention, qu'une majorité de femmes — fait souvent ignoré des hommes — peuvent supporter de longues périodes d'abstinence sexuelle sans éprouver de frustration particulière. Phénomène qui se révèle bien plus rare chez leurs compagnons. C'est d'ailleurs ce décalage entre les besoins physiques de l'homme et de la femme qui aggravera sans cesse les troubles sexuels de l'épouse qui souffre des premiers effets du malentendu conjugal.

Car, de refus en refus, les relations sexuelles du couple ont eu tendance à s'espacer. Bon gré mal gré, le partenaire masculin s'est, pour un temps, résigné à la nouvelle situation. Mais, poussé par sa propre frustration, il va exercer sur sa compagne une pression qui ira progressivement de l'insistance suggestive à l'agressivité déclarée. Il tombe ainsi bien involontairement dans un piège dangereux pour son couple. Car, aux yeux de sa partenaire, il semblera toujours davantage uniquement préoccupé par le seul aspect sexuel de leurs relations. Nous verrons bientôt les conséquences pernicieuses d'une apparence aussi trompeuse.

En effet, par un réflexe qui demeure encore inconscient, l'épouse manifeste maintenant de l'impatience ou de l'irritation quand, dans l'intimité du foyer, son compagnon se laisse aller à certains gestes, à certaines caresses un peu trop précises. Sur un ton toujours plus vif, elle lui rétorque que le moment est mal choisi, que des tâches ménagères urgentes ne sauraient souffrir de retard...

Car au point où nous en sommes, l'épouse n'a pas conscience de cette sorte de barrage sexuel qu'elle dresse entre elle et son partenaire. Sincèrement, elle se sent accaparée par ses diverses obligations et elle juge inopportunes et déplacées les avances de son compagnon. Déjà, la sexualité de celui-ci lui paraît envahissante, excessive et un peu vulgaire. Car, inconsciente des raisons profondes de ce qui n'est encore chez elle qu'une indifférence sexuelle, il lui semble naturel d'accorder la priorité à ses tâches ménagères, alors que le plaisir, qui lui ferait perdre un temps précieux, peut attendre. A ses propres yeux, elle se conduit donc en parfaite ménagère, et l'idée ne lui vient pas qu'elle provoque chez son compagnon une frustration sexuelle qui ne cesse de croître.

Une telle idée lui demeure d'autant plus étrangère que, depuis quelque temps, elle éprouve de moins en moins de plaisir au cours de ses rapports sexuels.

Insensiblement, ces derniers sont devenus pour elle une obligation, puis une source d'agacement. C'est donc par respect du devoir conjugal qu'elle se prête avec résignation à des étreintes qu'elle souhaite aussi brèves que peu fréquentes.

Ce changement de son comportement sexuel trouve son origine dans le sourd antagonisme qui, depuis le malaise initial, l'oppose à son partenaire. L'hostilité plus apparente que réelle qu'elle a ressenti chez lui bloque inconsciemment sa sexualité.

Mais, nous l'avons vu, le malentendu conjugal obéit à une logique aussi implacable qu'absurde. La frustration sexuelle dont souffre maintenant le mari le conduit à se montrer encore plus pressant. Il multiplie ses avances, risque des caresses toujours plus précises et plus suggestives. Involontairement maladroit, il manifeste une impatience qui passe pour un pur égoïsme.

Cet empressement bien compréhensible provoque cependant un grave malentendu qui ne cessera plus de s'approfondir. Se méprenant toujours davantage sur leurs intentions respectives, les deux conjoints vont en effet donner à la question sexuelle une tournure dramatique qui empoisonnera progressivement toutes leurs relations. Comme un cancer, le problème envahira les pensées de chacun, dictera les comportements, viendra grossir de façon démesurée les ressentiments et les griefs, multipliera à l'infini les incidents. A terme, si rien ne vient interrompre le cours de son développement inexorable, il aura brisé le couple, dont il ne subsistera plus que deux être anxieux, doutant d'eux-mêmes et prêts à se haïr. Voyons comment.

Pour bien comprendre les événements qui vont

maintenant se succéder à un rythme toujours plus rapide, mettons nous un instant à la place de l'épouse dont le partenaire, frustré, se montre chaque jour un peu plus entreprenant.

Les caresses, les avances, les sous-entendus dont elle fait sans cesse l'objet l'oppressent, lui donnent le sentiment d'être assaillie et assiégée. Quand son partenaire esquisse un geste dans sa direction, il est rare qu'il ne se termine pas sur une zone sexuelle de son anatomie. Si elle se laisse approcher ou enlacer, elle subit bientôt des manœuvres maladroites qui voudraient stimuler son désir, alors que celui-ci ne peut naître dans de telles conditions. Se sentant cernée par les assiduités de son partenaire, elle en vient à redouter toute promiscuité, à craindre de se retrouver seule en sa présence. Elle le voit du reste avec d'autres yeux. Son regard, ses attitudes, ses mimiques lui paraissent suspectes.

La sexualité devient à ce point obsédante pour elle, qu'elle se méprend. Les gestes et les caresses les plus innocentes de son compagnon, le moindre frôlement, le plus petit signe de complicité, prennent à ses yeux la valeur d'une invite sexuelle. Pour elle, son partenaire ne pense qu'à « ça ».

C'est alors que se développe dans son esprit l'idée trompeuse selon laquelle son compagnon ne lui manifesterait de l'attention que dans le but de satisfaire ses besoins sexuels. Or elle veut être aimée pour elle-même, et non en tant qu'objet sexuel, que simple source de plaisir que l'on oublie ou rejette après en avoir tiré une satisfaction égoïste. Si elle s'est unie avec l'homme qu'elle aime, c'est pour devenir sa femme, sa compagne de tous les jours, la confidente de ses joies et de ses peines, pour partager à parts égales tous les plaisirs, et non pour lui servir de putain.

Ce mot pourra choquer certains, mais je peux assurer qu'il vient spontanément à la bouche de toutes les femmes victimes du malentendu conjugal. Je ne l'ai donc pas employé par esprit de provocation, mais pour illustrer avec vigueur le désarroi de ces malheureuses.

Le sentiment de n'être qu'un objet de plaisirs accentue encore, on le comprend aisément, les réticences sexuelles de l'épouse. Ce n'est plus de l'impatience qu'elle manifeste devant les avances de son partenaire, mais de l'irritation. Une irritation qui se transforme bientôt en refus secs et sans appel.

Le partenaire masculin ne tarde pas à réagir devant un comportement qui, je tiens à le préciser, le déroute totalement. Décontenancé, à mille lieues de se douter des pensées qui agitent l'esprit de sa compagne, il adopte ou accentue l'une des deux attitudes que nous avons pu observer chez lui en étudiant le malaise initial : l'indifférence ou l'agressivité. Mais qu'il se conforme à l'un ou à l'autre de ces comportements, il en reviendra de même pour sa compagne : elle souffrira de frigidité.

LA FRIGIDITÉ.

Pour comprendre comment les réticences sexuelles d'une femme se transforment progressivement en frigidité — évolution qui n'est en rien inéluctable — il me paraît nécessaire de préciser une caractéristique importante de la psychologie masculine.

La frustration sexuelle touche chez l'homme un

point sensible, l'idée qu'il se fait de sa masculinité. L'empêcher de prouver sa virilité en se dérobant à ses avances sexuelles, c'est lui interdire de se montrer homme. Le refus sexuel que lui oppose sa compagne constitue donc à ses yeux une agression qui ne peut que provoquer son hostilité.

C'est pourquoi, dans la majorité des cas, il adopte une attitude plus franchement agressive qu'au cours du malaise initial. L'indifférence n'en demeure pas moins — elle peut du reste exister seule, comme l'agressivité d'ailleurs — mais elle prend ici un caractère nettement plus hostile et critique. Tonalité dominante de l'humeur du partenaire masculin, elle cède toujours plus souvent la place à des accès de reproches et d'accusations.

Car, afin d'éviter de se remettre lui-même en cause, l'homme ne trouve qu'une explication et une seule à l'indifférence sexuelle de sa compagne : la maladie ou une grave anomalie de conformation. Son raisonnement apparaît en effet d'une simplicité enfantine, bien trop simple d'ailleurs : la sexualité est la chose la plus naturelle qui soit. Toutes les espèces obéissent à ses lois de la façon la plus instinctive. Elle s'impose à chaque être par sa formidable énergie vitale et par le plaisir qu'elle procure. Il n'est donc pas normal de s'y soustraire. Et le fait de ne pas obéir à un instinct aussi puissant ne peut résulter que d'un trouble physique inapparent ou d'une affection psychique inquiétante. Là est évidemment la solution.

Tels sont donc les propos — combien rassurants pour lui-même — que se tient plus ou moins confusément l'homme et qu'il assène sans ménagement à sa compagne. Entre deux périodes de silence lourd de reproches, il les lui répète sans cesse, jusqu'à satiété.

Propos dépourvus de tout fondement scientifique mais qui auront néanmoins sur l'épouse des effets dévastateurs. Celle-ci, nous l'avons vu, doute d'elle-même et, depuis longtemps déjà, n'éprouve plus aucun plaisir au cours de ses rares rapports sexuels. Les cruelles accusations de son partenaire trouvent ainsi chez elle un terrain particulièrement propice.

A son tour, elle s'interroge sur son peu d'empressement sexuel, sur le fait troublant à ses yeux qu'elle ne ressente pas d'orgasme comme toutes les autres femmes. Une fois posée, la question ne cesse de prendre de l'ampleur. Le doute s'étend, s'insinue dans les moindres méandres de l'esprit, d'autant qu'il se trouve toujours réamorcé par les accusations quotidiennes du partenaire masculin.

Et l'épouse acquiert peu à peu la douloureuse conviction d'être l'unique victime d'un trouble aussi étrange ; qu'il est en effet anormal de ne pas éprouver de désir sexuel. Et si son partenaire avait raison ? Si elle était vraiment anormale, comme il ne cesse de le lui répéter ?

Comble d'une amère ironie, elle poursuit maintenant sans relâche le travail de sape entrepris par son compagnon. Car, travaillant à sa propre perte, elle fait un inventaire méticuleux de toutes les idées reçues qui ne font que la troubler davantage. La sexualité est pour la femme épanoüissement, révélation de sensations inexprimables, bonheur sans égal. Oui certes, mais encore faut-il que les circonstances s'y prêtent et que soit réalisé un accord harmonieux du couple. Il en va de même de la survenue de l'orgasme. Celui-ci n'est pas la conclusion obligatoire et mécanique de toute relation sexuelle, mais le résultat d'une subtile complémentarité physique et émotionnelle. Autre idée reçue qui mine l'épouse, une femme se doit de satisfaire les besoins de son mari, faute de quoi elle fait courir un grave danger à son ménage. Si l'on ne peut contester le risque représenté pour le couple par les difficultés sexuelles, la femme, en revanche, n'a pas de devoirs particuliers à l'égard de son compagnon. Il appartient AUX DEUX CONJOINTS de se témoigner leur tendresse et leur amour.

Anxieuse, toujours plus rongée par le doute, l'épouse se renseigne discrètement auprès d'autres femmes, dont en désespoir de cause elle attend quelques raisons de se rassurer, d'apprendre que son triste sort est partagé. Mais, malheureusement, ses confidentes osent encore trop rarement lui avouer qu'il leur arrive de connaître les mêmes difficultés. A les entendre, si elles acceptent d'aborder le sujet, leur vie sexuelle se révèle une réussite exemplaire ou, du moins, ne rencontre pas d'obstacles particuliers. Quand elles ont plus de goût pour la confidence, elles laissent entendre que l'activité sexuelle de leurs partenaires leur paraît quelque peu excessive, sans préciser le trouble produit chez elles par cet apparent excès. Encore plus rares sont celles qui osent avouer les insuffisances sexuelles de leurs compagnons. En définitive, si les femmes abordent entre elles les questions sexuelles, c'est plus souvent pour se faire une opinion sur la situation exacte de leurs propres couples, que pour délivrer des informations objectives.

Privée des informations qui auraient pu la rassurer, voilà notre malheureuse épouse renforcée dans son sentiment de constituer un cas unique. Son compagnon a probablement raison, elle doit être anormale, physiquement ou psychiquement.

Et ce qui n'était qu'un doute devient une certitude.

Elle est ANORMALE, elle en a maintenant la conviction absolue.

Mais l'espoir ne meurt jamais tout à fait chez l'être humain. Ne serait-ce que sous la forme d'une lueur fragile et incertaine, il subsiste toujours. C'est pourquoi l'épouse persuadée de souffrir d'un grave défaut sexuel va essayer, sans succès trop souvent, de se convaincre du contraire. Or une telle tentative implique forcément de sa part la poursuite d'expériences sexuelles dont, nous le savons, elle ne tire plus aucun plaisir. C'est en effet pour elle la seule façon d'essayer de connaître un orgasme qui, seul, pourrait la rassurer sur l'intégrité de sa sexualité. Un orgasme qu'elle va donc attendre et rechercher avec anxiété au cours d'étreintes qui, par elles-mêmes, la laissent indifférente.

Sans le savoir, elle réunit ainsi tous les ingrédients de l'échec sexuel : la contrainte — elle se contraint à des relations qu'elle ne désire pas mais qu'elle juge nécessaires —, l'absence d'abandon physique et moral, d'oubli de soi, et, enfin, l'attente anxieuse d'un résultat favorable. Tendue et crispée, elle ne vit pas ses rapports sexuels, elle les observe comme au cours d'une expérience de laboratoire. Et l'échec se trouve logiquement au rendez-vous. Malgré la répétition des tentatives, elle ne connaît pas l'orgasme qu'elle attend désespérément. Succession de déceptions qui a évidemment pour résultat d'augmenter son anxiété et de faire de chaque nouveau rapport une épreuve morale toujours plus douloureuse.

Ainsi est-on parvenu à cette situation paradoxale où la sexualité ne constitue plus une source de plaisir mais de désagrément et d'angoisse. Et, phénomène de cercle vicieux supplémentaire, moins l'orgasme sera au rendez-vous, plus grand sera le déplaisir.

L'épouse arrive alors au point où la relation sexuelle devient pour elle une épreuve tellement douloureuse et perturbatrice que, pour sauvegarder son équilibre, elle préfère y renoncer complètement. Je tiens du reste à préciser que la douleur morale — sous forme d'anxiété et d'angoisse intolérables — peut se doubler de douleurs physiques particulièrement pénibles, qui ne représentent qu'une manière inconsciente de refuser une sexualité devenue une véritable torture. Ces douleurs, qui portent le nom de VAGINISME, se produisent au moment de la pénétration ou pendant le coït. Elles atteignent du reste parfois une telle intensité qu'elles interdisent alors toute pénétration. On voit donc que la femme qui souffre de troubles sexuels n'est pas une femme « froide » — cet adjectif n'a aucun sens et prouve seulement l'importance du voile d'ignorance qui recouvre ce problème — ni une partenaire faisant preuve de mauvaise volonté. Mais une femme qui, à son corps défendant, car il lui en coûte, se trouve contrainte de renoncer à des rapports par trop insupportables.

Se refusant par nécessité à toute relation sexuelle, l'épouse souffre maintenant d'une frigidité complète. Ce trouble, dans le cas qui nous occupe, n'est donc QU'UNE CONSEQUENCE DU MALENTENDU CONJUGAL. Il provoque chez la femme et dans le couple de telles perturbations, que je crois nécessaire d'apporter quelques précisions supplémentaires à son sujet.

Trouble fréquent de la sexualité féminine, la frigidité est aussi mal nommée que mal connue.

Sur un sujet qui les touche pourtant au premier chef, il est du reste surprenant de constater que les femmes ne sont souvent pas mieux informées que leurs compagnons. Abusées, comme ces derniers, par un ensemble de fables et de contrevérités dont ce problème fait l'objet, elles sont en définitive les premières victimes de préjugés dépourvus de tout fondement.

Un premier fait mérite ainsi d'être souligné. Une femme n'est pas frigide comme elle serait basque ou bretonne, c'est-à-dire par naissance ou par nature, elle le DEVIENT. Inutile donc de l'accuser d'une tare personnelle qui ne saurait être qu'imaginaire — imaginaire pour celui qui porterait l'accusation, bien entendu.

Si la frigidité ne constitue en rien une tare, elle n'est pas non plus une maladie. Toute femme, je dis bien toute femme, connaît, à un moment ou à un autre de son existence, des périodes de détachement à l'égard de la sexualité. Et cela est NORMAL. Une femme, au même titre qu'un homme d'ailleurs, après un deuil, une désillusion sentimentale, ou au cours de graves préoccupations professionnelles, familiales, ou d'une maladie... n'éprouve que peu ou pas de désirs sexuels. Pour faire image, je dirais que la sexualité se trouve mise de côté, dans l'attente de temps meilleurs et de plus de disponibilité. D'autres problèmes plus urgents sont à régler en premier lieu.

Ce qu'il est convenu de désigner sous le terme de frigidité ne constitue donc, en définitive, que l'accentuation et la prolongation sans gravité d'un phénomène naturel. Une éducation pudiblonde ou trop sévère dans le domaine sexuel FAVORISE son apparition, la rend possible, mais n'en fait jamais une fatalité. Pour qu'elle se produise, une incompatibilité affective et, éventuellement, sexuelle entre les deux partenaires se révèle absolument nécessaire. Incompatibilité le plus souvent bénigne et aisément réductible. La frigidité concerne donc plus le couple que le seul partenaire féminin.

Il me semble particulièrement nécessaire d'insister sur ce point. Car si, par ignorance ou contre toute raison, on s'obstine à faire du partenaire féminin l'unique responsable d'un trouble qui, je le répète, met en cause le comportement des DEUX CONJOINTS, ces derniers sont bientôt les victimes d'une absurde suite d'événements chaque jour plus dramatiques. C'est du reste ce que nous allons vérifier.

Le stade de frigidité complète a provoqué une subtile transformation du climat qui règne dans le couple. Si la tension demeure aussi vive qu'auparavant, le partenaire masculin oscille maintenant entre deux attitudes contradictoires : l'hostilité, toujours manifestée par accès brefs et violents, et la recherche d'une solution à un problème sur lequel il commence à s'interroger. Car, confusément, il est gagné par le doute. S'il portait une part de responsabilité dans les troubles dont souffre sa compagne ? Sa technique sexuelle ne serait-elle pas insuffisante ?

Ces pensées ne font cependant qu'effleurer son esprit. Il les repousse avec force et préfère revenir à sa première hypothèse : la seule responsabilité de sa compagne. Mais son doute, caché quelque part dans un recoin de son esprit, et qui correspond d'une certaine manière à celui éprouvé par sa partenaire, crée dans le couple une ambiguïté malsaine. A l'exception des accès de franche agressivité où le problème se trouve crûment abordé, il n'en est plus directement question : on en parle de moins en moins, mais on y pense sans cesse. L'antagonisme entre les conjoints demeure, mais leur commune volonté d'escamoter la question sexuelle les conduit à s'opposer sur des sujets mineurs qui ne sont que des prétextes. Les troubles sexuels empoisonnent donc toute la vie du ménage. Evitant soigneusement un sujet brûlant trop douloureux, les deux partenaires se cherchent querelle sur des détails qui, hélas, touchent trop souvent leurs personnes. Tous les prétextes sont bons, la façon de s'habiller, de se coiffer, de se comporter dans la vie ou dans son métier. Les remarques sont évidemment acerbes et blessantes. Des petits défauts physiques ou psychologiques, qui jusqu'alors n'avaient jamais attiré l'attention, sont maintenant cruellement mis en lumière, soulignés sans pitié. On le voit, le conflit de personnalités est sur le point d'éclater.

Je l'ai déjà dit, le comportement du couple se révèle ambigu et contradictoire. Malgré ses conflits, ses longs moments de silence hostile, sa volonté de masquer à ses propres yeux une question qui le déchire, il essaie néanmoins de résoudre celle-ci. Malheureusement, il adopte trop fréquemment deux solutions qui, pour logiques qu'elles paraissent, aggraveront encore ses difficultés.

La frigidité n'a pas de traitement purement médical. Difficulté liée au comportement des deux conjoints, elle ne peut être résolue que par une transformation du comportement affectif et sexuel de ces derniers. Ignorant de ce fait, le couple commet donc trop souvent l'erreur involontaire de s'adresser à un médecin. Mal préparé aux problèmes psychologiques, celui-ci limite fréquemment son intervention à la prescription de médicaments, quand il ne lui arrive pas de conseiler une intervention chirurgicale dépourvue de toute utilité. L'absence complète de résultats pratiques accroît, en revanche, le désarroi du couple, toujours plus convaincu du caractère insoluble de ses difficultés.

Il en va de même quand la frigidité se voit attribuer pour unique cause une insuffisance ou une incompétence en matière de technique sexuelle. Dans ce cas, je dirai que le remède se révèle pire que le mal, qu'il aura du reste pour inévitable effet d'accentuer encore davantage.

Il court effectivement une vieille légende selon laquelle la femme dite frigide serait une femme mal aimée physiquement. Son partenaire se montrerait maladroit ou inexpérimenté. Cette fable confond plaisir et prouesse. Le plaisir sexuel naît autant, sinon plus, de l'émotion, d'une sorte d'ivresse et d'excitation mentales que du contact physique de deux corps. Or, chez la femme dite frigide, c'est précisément la part psychologique de la relation sexuelle qui se trouve bloquée pour des raisons que je décrirai en détail. Elle ne saurait donc connaître le plaisir, quelle que soit l'ingéniosité ou la hardiesse des performances de son compagnon. En outre, nous avons vu que les rapports physiques sont devenus pour elle une source d'angoisse intolérable. Lui imposer la solution de techniques purement sexuelles constitue donc un non-sens dangereux, par avance inefficace. Solution d'au tant plus dangereuse qu'elle renforce chez la femme le sentiment, trompeur mais dévalorisant, de ne représenter aux yeux de son partenaire qu'un objet sexuel.

Les deux solutions adoptées par le couple aboutissent donc à des impasses. Mais un temps précieux a été perdu. Des échecs dont on aurait pu se dispenser ont cependant accru l'angoisse de l'épouse, sa conviction de ne pas être une femme comme les autres, et les doutes de son partenaire. Deux menaces pèsent alors sur le couple, le renoncement sexuel et l'infidélité conjugale. Nous les étudierons en détail dans le chapitre qui leur est consacré. Mais il nous faut d'abord aborder les problèmes sexuels provoqués chez l'homme par le malentendu conjugal.

LES TROUBLES SEXUELS

chez l'homme

Au cours du chapitre précédent, nous avons pu observer les réactions de l'homme mis en présence des troubles sexuels de sa partenaire. Celle-ci avait INAUGURE les effets physiques d'un malentendu conjugal encore inapparent. Et ce n'est que dans un second temps que son compagnon avait eu à subir les conséquences de ces troubles. Dans les cas que nous allons aborder maintenant, la situation est complètement inversée. L'homme se trouve atteint de difficultés sexuelles AVANT sa compagne. Il y a donc échange de rôles, et se sera au tour du partenaire féminin de s'adapter tant bien que mal — mal le plus souvent — aux difficultés de son conjoint.

En ce qui concerne les troubles sexuels de l'homme dans le cadre du malentendu conjugal, le malaise initial se révèle particulièrement silencieux et, généralement, passe totalement inaperçu. Une étude attentive, menée après l'apparition des premiers troubles, montre cependant chez le couple concerné une tendance à l'opposition de caractères : conflits relativement fréquents, incompréhension mutuelle, personnalités nettement différentes... Mais, je tiens à le préciser, ces faits s'observent dans de nombreux couples sans provoquer pour autant de troubles sexuels chez l'un ou l'autre des conjoints. Ils constituent donc un terrain favorable et non une cause déterminante.

Plus importante apparaît l'éducation sexuelle dont le partenaire masculin a fait l'objet pendant son enfance et son adolescence. Mais, là encore, une éducation sévère ou maladroite dans ce domaine ne représente qu'un facteur favorisant supplémentaire. Et, en définitive, comme nous le verrons, c'est dans les relations même du couple qu'il faut rechercher la cause essentielle des troubles sexuels du partenaire masculin.

Ainsi, ces derniers apparaissent inopinément chez un couple que rien ne semblait désigner par avance. Ils se présentent sous deux aspects différents, qui peuvent être associés ou s'observer isolément :

— l'éjaculation précoce,
— l'impuissance.

L'ÉJACULATION PRÉCOCE.

Comme son nom l'indique, l'éjaculation précoce se résume à un orgasme masculin prématuré, qui interrompt ainsi inopinément le rapport en cours.

Il serait vain et surtout trompeur de vouloir fixer de façon arbitraire une durée « normale » à une relation sexuelle. Il faut se méfier des prétendues normes. En matière de sexualité, seul compte le plaisir partagé du couple. Je me souviens ainsi d'un patient qui se croyait atteint d'éjaculation précoce, alors qu'il consacrait au plaisir de sa partenaire un temps tout à fait respectable et que celle-ci, en fait, se montrait pleinement satisfaite de sa vie sexuelle. Le malheureux avait seulement lu, dans une revue, un article imprudent qui l'avait convaincu de sa prétendue insuffisance. Evidemment, il n'en était rien.

On ne doit donc parler d'éjaculation précoce que dans la mesure où les DEUX partenaires se sentent REGULIEREMENT frustrés par la brièveté de leurs rapports. La permanence ou la particulière fréquence constitue ainsi la caractéristique essentielle du trouble qui, s'il ne se répète pas, demeure parfaitement banal. A titre d'incident isolé, il arrive en effet à tout homme de souffrir d'éjaculation précoce, à l'occasion d'un surmenage, au cours d'une maladie ou, tout simplement, à la suite d'un repas trop arrosé.

Trouble prolongé donc, l'éjaculation précoce apparaît aussi bien lors des premiers rapports sexuels du couple — parfois à l'occasion du tout premier — qu'après plusieurs années de vie sexuelle exempte de toute difficulté particulière. Mais si sa précocité — comme son apparition tardive, du reste — ne présente en elle-même aucun caractère de gravité, elle constitue néanmoins une grave menace : le couple sera d'autant plus longtemps confronté à un problème dans lequel il risque de se perdre. Les pièges qui s'ouvrent alors sous ses pas sont identiques à ceux que lui tend l'impuissance masculine. Nous allons donc étudier celle-ci avant de les décrire en détail.

L'IMPUISSANCE.

L'impuissance est un trouble BENIN et PASSAGER que le manque d'information et l'inquiétude de celui qui en souffre prolongent anormalement.

Absence ou insuffisance d'érection, elle peut également se présenter sous l'aspect d'une perte d'érection au moment de la pénétration ou au cours du rapport. Elle peut éventuellement s'accompagner, sans acquérir pour autant un quelconque caractère de gravité, d'éjaculation précoce ou d'une absence d'éjaculation.

Trouble essentiellement psychologique, l'impuissance, hormis ses manifestations physiques, ne se différencie en rien de l'éjaculation précoce. Toutes deux, en effet, sont provoquées par les mêmes causes, peuvent se révéler précoces ou tardives et, enfin, provoquent chez le couple les mêmes détestables conséquences. C'est pourquoi, dorénavant, je ne les distinguerai plus au cours de mon étude. Ceci ne m'empêchera pas de dissiper les différents malentendus, quand ce ne sont les mythes, dont ces affections font l'objet. Les événements que nous allons découvrir maintenant se produisent donc aussi bien dans les cas d'éjaculation précoce que dans ceux d'impuissance.

Attribué à une méforme passagère, le premier incident n'a pas porté à conséquence. Eventuellement, le couple en a plaisanté, avant de s'endormir un peu frustré mais sans ressentiment. Cependant, l'incident s'est reproduit, deux fois, trois fois. La plaisanterie complice a cédé la place à un désagréable malaise, lourd de sous-entendus. L'homme se sent humilié, diminué, et s'interroge douloureusement sur cette inquiétante succession de défaillances.

Dans un certain nombre de cas, surtout quand le trouble apparaît précocement dans la vie du couple, il nie avec obstination ses faiblesses ou s'emploie à en minimiser l'importance. S'il refuse ainsi la réalité c'est autant, sinon plus, pour se rassurer lui-même, que pour tenter de convaincre sa compagne de l'intégrité de ses capacités sexuelles. Contrairement à ce qu'on pourrait penser, cette manœuvre de persuasion est fréquemment couronnée de succès et a des effets paradoxaux que nous découvrirons bientôt.

Mais, le plus souvent, l'homme ressent une profonde inquiétude. Car il lui est particulièrement pénible de douter de sa puissance sexuelle, sur laquelle repose une partie de son identité masculine. Malaise silencieux, étouffé, car, première erreur, le couple n'ose pas aborder le problème, pourtant essentiel pour son équilibre. C'est son secret caché. Ainsi chaque conjoint demeure confiné dans le cercle oppressant de ses doutes et de ses désillusions. Car, comme nous le verrons, l'épouse se sent également concernée et commence, paradoxalement, à s'interroger sur elle-même.

Dans le silence des consciences, les idées les plus troublantes et les plus trompeuses naissent, se multiplient, élaborent des explications toujours plus mortifiantes, et le doute ne cesse de croître.

Deux doutes qui s'observent mais s'évitent. Est venu en effet le temps où le couple redoute de se retrouver dans le lit conjugal. L'oubli volontaire auquel chacun s'est efforcé toute la journée n'est alors plus possible. Moment-épreuve où il faut tenter de faire face à la réalité. Les nouvelles tentatives, menées dans un climat d'anxiété particulièrement défavorable à leur réussite, sont inévitablement vouées à l'échec. Et, toujours un peu plus amer, chacun se réfugie dans sa douloureuse solitude.

Dans une atmosphère lourde et tendue, car le problème reste censuré, l'homme doute maintenant de sa virilité, aidé souvent en cela par les remarques acides et critiques de sa compagne. Doute dont il ressent les premiers effets dans des domaines étrangers à sa vie sexuelle. Il manque de confiance en soi dans ses relations sociales, dans son activité professionnelle. Ses déficiences sexuelles l'obsèdent, le suivent inlassablement tout au long de la journée, et il se surprend à jalouser les autres hommes épargnés, dans son esprit, par de telles difficultés. En quelques mots, il ne croit plus être un homme. Cette conviction trompeuse explique toute sa souffrance.

Or, je tiens à l'affirmer avec force, l'éjaculation précoce et l'impuissance ne sont en aucune manière les signes d'un manque de virilité. Tout au contraire, elles s'observent chez les hommes TROP désireux, anxieux en quelque sorte, de satisfaire leurs compagnes, de leur procurer un plaisir sans égal. Il faut donc comparer les deux troubles à une sorte de trac, assimilable à celui de l'acteur, qui saisit toujours ceux qui veulent trop bien faire.

Conséquences directes d'une peur irraisonnée et injustifiée de l'échec, l'éjaculation précoce et l'impuissance ne peuvent donc qu'être considérablement accentuées par le doute qu'elles provoquent chez le couple. Nous retrouvons ainsi le mécanisme de cercle vicieux que nous connaissons bien maintenant. Or, par manque d'information, les deux conjoints accentuent sans cesse l'ampleur du malentendu : leur silence laisse libre cours à une imagination toujours prête à échafauder des explications les plus inquiétantes. Les remarques désobligeantes de la compagne e les manifestations évidentes de sa frustration renforcent les doutes d'un homme qui s'emploie déjà à saper sa confiance en soi. Chaque nouvel incident confère la conviction d'un inévitable échec de la prochaine tentative. L'insuccès appelle l'insuccès, et l'insuccès se produit parce qu'il est attendu, redouté mais considéré inéluctable. Il est donc essentiel de comprendre que l'éjaculation précoce et l'impuissance sont ainsi LEUR PROPRE CAUSE, leur propre facteur d'entretien et la seule raison de leur prolongation dans le temps.

Ce sont là des faits essentiels que tout couple doit connaître afin d'adopter, si cela s'avérait nécessaire, le comportement approprié que je décrirai dans le chapitre consacré aux solutions du malentendu conjugal.

Mais il est temps maintenant de revenir aux difficultés de l'homme souffrant de troubles sexuels. Doutant de soi, croyant souffrir d'une affection grave et sans recours, alors qu'il n'est atteint que de troubles bénins et sans importance par eux-mêmes, il commet fréquemment une lourde erreur : il ne fait rien et perd du temps.

Son inertie s'explique facilement et paraît excusable, même si elle est fort dangereuse. Humilié, touché dans l'une des manifestations à ses yeux essentielle de sa virilité, il veut recouvrir sa défaillance d'un secret absolu. Il est hors de question d'en parler, à qui que ce soit. Il renonce ainsi par avance à toute aide extérieure et se prive des précieux conseils d'un spécialiste en mesure de résoudre ses difficultés. Et le temps passe. Les semaines s'additionnent aux semaines, les mois aux mois, voire les années aux années.

Temps perdu dont le malaise sexuel du couple ne peut que profiter. La sourde amertume devient frustration agressive, puis hostilité déclarée. Et le conflit de personnalités alourdit de ses querelles et de ses rancunes les effets du différend sexuel. Dans un tel climat de tension et d'agressivité, quelles sont les chances de rétablir une vie sexuelle harmonieuse ? Elles sont nulles, évidemment. Involontairement, le couple œuvre donc contre ses propres intérêts et entretient lui-même ses difficultés sexuelles. Nouvelle méprise, nouveau malentendu.

Et nouvelle erreur de la part du partenaire masculin. Les désagréments de sa situation ont fini par l'emporter sur sa volonté de taire ses défaillances et il a pris le parti de se faire « soigner ». Persuadé en effet de souffrir d'une maladie, alors qu'il ne se heurte qu'à des difficultés purement psychologiques, il commet cette fois une erreur d'orientation. La compétence des médecins — urologues, gynécologues — auxquels il s'adresse le plus souvent n'est nullement en cause. Mais fréquemment mal préparés aux problèmes strictement psychologiques, ces spécialistes ne lui sont que de peu de secours. Les différentes vitamines, les stimulants en tous genres et les hormones mâles qu'ils prescrivent demeurent donc sans effet, l'emploi de certains de ces produits pouvant même se révéler dangereux.

Cet échec thérapeutique a pour conséquence de convaincre encore davantage le partenaire masculin du caractère incurable de sa prétendue maladie. Son impuissance ou son éjaculation précoce sont maintenant pour lui des faits définitifs. Ils le marquent profondément et ont pris ce caractère de tares personnelles tout à fait comparable au sentiment éprouvé par la femme dite frigide. C'est donc un homme anxieux, terriblement anxieux, et moralement éprouvé, doutant de soi et du moindre de ses actes, que nous abandonnons provisoirement pour nous intéresser au sort de sa compagne.

Aussi paradoxal que cela puisse paraître, la femme souffre autant, sinon plus, des troubles sexuels de son compagnon. Nous allons voir pourquoi.

Les premiers incidents l'ont laissée dans un état de frustration qu'elle définit mal. La fin prématurée des étreintes, l'inassouvissement de ses sens encore tendus par le désir, ont provoqué une frustration de nature purement sexuelle. Elle a été privée du plaisir qu'elle attendait. Mais le malaise confus qu'elle ressent a aussi une autre origine, dont les effets perturbateurs l'emporteront toujours davantage sur la seule privation de plaisir physique.

Selon notre mentalité collective, il appartient en effet à la femme de provoquer et d'assouvir le désir de l'homme. Elle doit plaire, séduire et satisfaire. Mais ce préjugé, que l'on peut comparer à un devoir qui incomberait au partenaire féminin, a perdu de son importance par l'effet de l'évolution des mœurs qui tend à faire de la femme l'égale sexuelle de l'homme. Il agit moins, mais il subsiste à l'état de traces mentales. De la sorte, il accentue un autre mécanisme, lui assez spécifique de la psychologie féminine, bien qu'il puisse s'observer chez certains hommes sans constituer pour autant le signe d'une quelconque homosexualité. Voyons de quoi il s'agit.

Si l'homme désire se montrer fort et viril, la femme aime plaire et séduire. Non pas tant par respect du préjugé social dont je viens de parler, que pour se prouver à ses propres yeux sa beauté et son pouvoir d'attraction. Attirer le regard des hommes et provoquer leur désir ne sont-ils pas les meilleures preuves de sa séduction ? Oui, naturellement. Et une femme qui, pour une raison quelconque, ne plaît plus — ou croit ne plus plaire — en vient immanquablement à se poser des questions sur son apparence physique et se met à douter d'elle-même.

Ceci admis, mettons-nous un instant à la place de l'épouse dont le compagnon se trouve atteint de troubles sexuels. Quelle est sa vision de la situation à laquelle elle se trouve confrontée ?

Les signes APPARENTS du désir de son partenaire viennent à faire défaut. Son érection est médiocre ou absente, le rapport sexuel se trouve abrégé ou se révèle impossible. Bientôt, comme nous l'avons vu, ce même partenaire semble se dérober à tout rapprochement physique et évite le contact de sa compagne — non parce qu'il ne désire pas celle-ci mais par peur de son propre échec.

Inconsciemment, l'épouse interprète donc ces différentes défaillances comme autant de manifestations du manque d'intérêt sexuel que lui porterait son compagnon. Elle se trompe, lourdement, mais telle est bien sa conviction inconsciente. Et tout aussi inconsciemment, elle tire toutes les conséquences logiques de son erreur. Si son partenaire ne lui fait pas l'amour ou ne parvient pas à le faire, c'est qu'il ne la désire pas. Et, suite inexorable, s'il ne la désire plus, c'est QU'ELLE N'EST PLUS DESIRABLE. Sans qu'elle s'en soit rendue compte, sa beauté, son charme, ses formes, ont perdu de leur séduction au point de ne plus provoquer le désir de son partenaire. C'est du moins ce qu'elle croit sans cesse davantage. Mais elle ne remet pas en cause uniquement son apparence physique. Elle se met également à douter de sa technique amoureuse. Elle doit se montrer gauche, insuffisamment experte dans ses caresses amoureuses, comme elle doit manquer d'audace et d'imagination dans sa manière de provoquer le désir et le plaisir de son partenaire.

Cette conviction erronée est souvent à l'origine d'un malentendu supplémentaire dont le couple, en la circonstance, pourrait bien se passer. Dans le but de paraître particulièrement désirable et de stimuler ainsi son compagnon, l'épouse se montre en effet sexuellement provocatrice et pressante, au moment précis où ce même compagnon redoute une sexualité qu'il croit vouée à l'échec. Lui qui a déjà peur de ne pas « se montrer à la hauteur », se sent débordé et incapable de satisfaire ce qu'il prend pour un désir exacerbé de sa compagne, alors qu'il ne s'agit de la part de celle-ci que d'une tentative ayant essentiellement pour raison de mettre un terme à une situation qui l'angoisse. Bien intentionnée mais venue à un moment inopportun, la solution adoptée par l'épouse n'a en définitive pour effet que d'accroître les troubles sexuels du partenaire masculin.

Dans un nombre limité de cas, la prétendue incapacité sexuelle de l'épouse a des conséquences encore plus paradoxales. Persuadée de son entière responsabilité dans l'absence de désir de son compagnon, il arrive en effet au partenaire féminin de se prêter, avec plus ou moins de réticence, à des pratiques sexuelles inhabituelles, censées rendre toute son ardeur au conjoint. Ainsi sont essayées, selon le cas, les amours de groupe, les relations avec des prostituées, avec des homosexuelles, ou encore des pratiques sadomasochistes. Dans la majorité des exemples que j'ai pu observer, ces solutions, aux résultats fort mitigés, perturbent l'épouse pour longtemps. Car même si au cours de ces amours particulières son compagnon a retrouvé — provisoirement — sa vigueur, elle ne peut se défaire de l'idée que ce désir s'adressait à une autre qu'elle-même. A cette douloureuse conviction vient naturellement s'ajouter le sentiment de culpabilité d'avoir commis des actes réprouvés par la morale.

Quelle que soit en définitive la nature exacte de l'initiative sexuelle prise par le partenaire féminin pour ranimer l'ardeur de son conjoint, elle a eu pour seul résultat d'accentuer le malaise du couple. L'homme doute davantage de ses capacités et entretient ainsi involontairement ses troubles. L'épouse est toujours plus convaincue de sa perte de séduction.

C'est du reste pour essayer de lutter contre cette certitude, dépourvue de tout fondement mais particulièrement douloureuse, qu'elle adopte, le plus souvent, une attitude dont le seul résultat sera d'aggraver encore plus les difficultés de son partenaire, et donc celles que rencontre son couple. Son raisonnement inconscient se révèle en effet fort simple. S'il apparaît que son partenaire est le SEUL responsable de tous leurs malheurs, elle ne le sera plus elle-même. Aussi va-t-elle se comporter de manière plus critique à l'égard de son conjoint. Les échecs sexuels, quand le couple s'essaie encore à quelques tentatives évidemment vouées à l'insuccès, font l'objet de commentaires acerbes, de critiques mortifiantes sur l'anatomie ou l'impuissance du partenaire masculin. Celui-ci se voit accusé de ne pas être un homme, quand il ne s'entend gratifier de persiflages sur ses véritables goûts sexuels. Cette attitude critique ne se limite pas aux seuls moments où le couple devrait avoir des relations sexuelles, elle envenime et empoisonne toute son existence, même dans ses aspects les plus quotidiens.

Le moindre contact se trouve marqué de ressentiments à peine dissimulés ou sert de prétexte à des bouffées d'agressivité.

Une fois de plus, le malentendu apparaît total. Et les deux conjoints se perdent inexorablement dans leurs doutes respectifs, qu'accentue encore l'hostilité réciproque qui ne prend même plus la peine de se dissimuler.

Les réactions émotionnelles des deux partenaires ont donc transformé un incident mineur — qu'il s'agisse de l'éjaculation précoce ou de l'impuissance — en situation inextricable qui s'aggrave sans cesse par ses propres effets. Enchaînement d'apparentes fatalités qu'une meilleure connaissance du problème permet de prévenir ou d'interrompre. C'est là un point sur lequel je reviendrai en détail quand nous aborderons le chapitre consacré aux solutions qu'il faut apporter au malentendu conjugal.

Mais après avoir étudié les troubles sexuels de la femme et de son compagnon, il nous faut maintenant découvrir ceux qui leurs sont communs à tous deux.

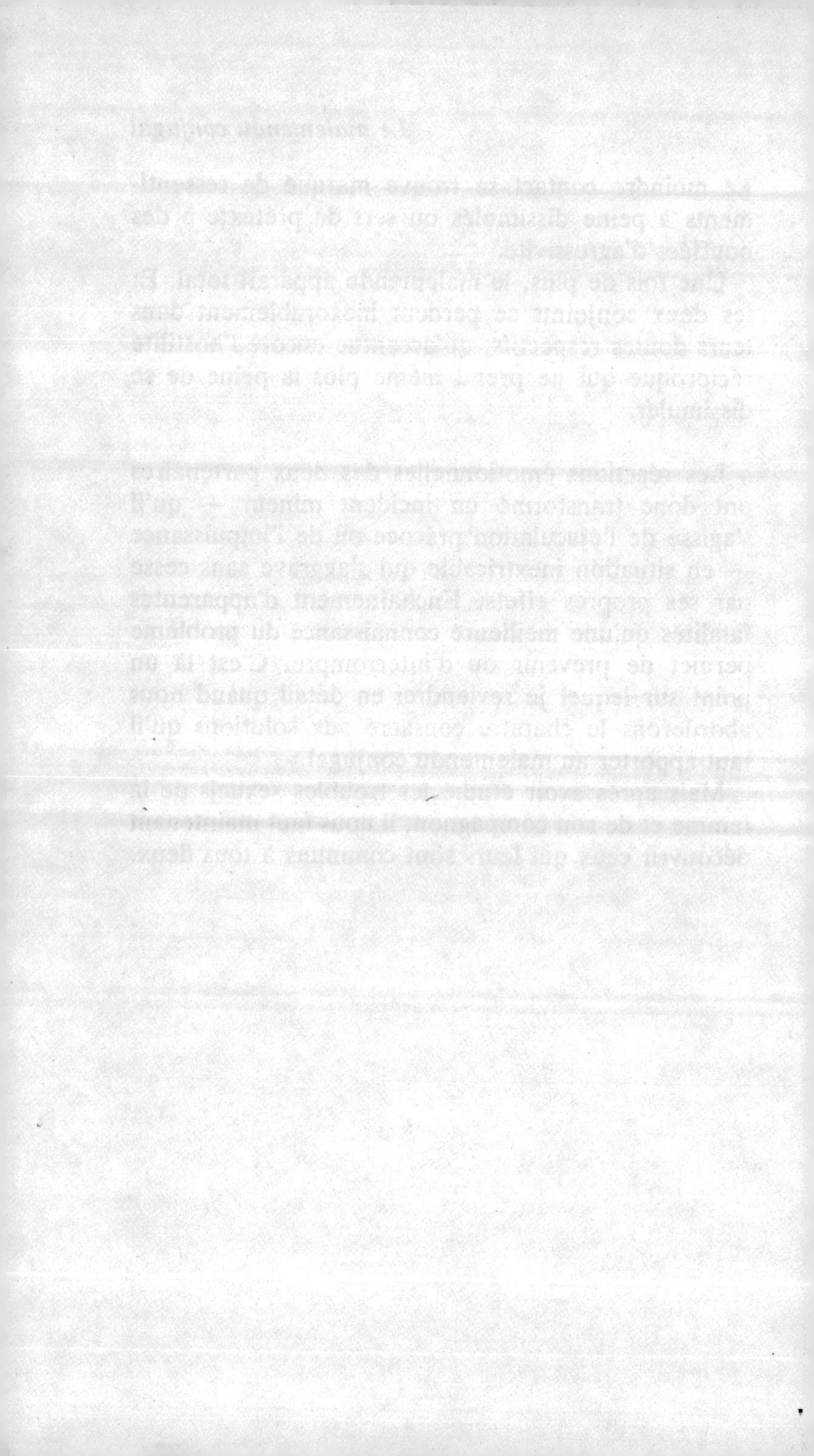

LES TROUBLES SEXUELS

dans le couple

Il peut paraître surprenant de consacrer un chapitre aux troubles sexuels du couple, alors que nous avons vu la frigidité et l'impuissance avoir des conséquences sur les deux conjoints, donc, en définitive, concerner le couple lui-même. Cela peut paraître d'autant plus surprenant que j'ai affirmé à plusieurs reprises que les troubles féminins et masculins trouvaient leur source essentielle dans une anomalie des relations quotidiennes des deux partenaires. Il serait donc logique de classer la frigidité, l'éjaculation précoce et l'impuissance dans le cadre général des troubles sexuels du couple et de les considérer comme tels. C'est du reste ainsi que je les conçois.

Mais j'avais trois raisons essentielles de distinguer délibérément des troubles sexuels féminins, masculins et, enfin, ceux propres au couple.

La première raison tenait au désir de donner au texte le plus de clarté possible. Ainsi, pour éviter de multiplier les situations possibles, j'ai volontairement omis de citer des cas relativement moins fréquents. Ceux, par exemple, où la frigidité du partenaire féminin provoque chez son compagnon une éjaculation précoce ou une impuissance. Ou, problème inverse, l'apparition d'une frigidité chez l'épouse comme conséquence d'un trouble sexuel dont souffre son conjoint. Ces cas existent, mais, dans les faits, ils ne diffèrent en rien de ceux que j'ai décrits. Ils connaissent le même développement et aboutissent aux mêmes conséquences.

Mon deuxième souci a été de décrire la réalité dans ses formes les plus fréquentes et telle qu'elle est vécue par les couples eux-mêmes. Or il est vrai qu'à la suite du malaise initial passé le plus souvent inaperçu, la frigidité d'une épouse ou l'impuissance d'un mari PARAIT l'événement inaugural et responsable du malentendu conjugal, qui prendra alors toute son ampleur. Distinguer les troubles sexuels de la femme et ceux de l'homme, c'était donc recréer et surtout élucider pour les couples concernés des situations dans les conditions mêmes où ils pourraient en faire l'expérience.

Enfin, troisième raison, à mes yeux essentielle, si seule la femme peut souffrir de frigidité et l'homme d'éjaculation précoce et d'impuissance, il est en revanche des troubles qui les atteignent tous les deux : la frustration sexuelle, l'infidélité conjugale et le renoncement sexuel.

LA FRUSTRATION SEXUELLE.

Dans les deux chapitres précédents, je me suis contenté de quelques allusions sur la frustration sexuelle éprouvée par les couples dont l'un des partenaires est atteint de troubles sexuels. Cette frustration existe, et ma discrétion ne s'était pas donnée pour but de la dissimuler. Mais, ressentie par les deux conjoints, elle entre logiquement dans le cadre du présent chapitre. En outre, elle diffère énormément d'une personne à l'autre. Chez certains, elle est à peine perçue et ne provoque aucun trouble particulier. Cette relative indifférence sexuelle ne constitue en rien une anomalie ou une tare. Bien plus liée à des phénomènes psychologiques qu'à des impératifs biologiques, elle dépend en fait de la signification attribuée à la sexualité. Dans l'esprit des personnes qui souffrent peu de frustration sexuelle, sexualité et vie affective sont complémentaires mais distinctes et, surtout, ne sauraient exister l'une sans l'autre. Dans le climat de tension et d'hostilité créé par le malentendu sexuel, ces personnes souffrent d'une frustration affective qui a pour effet de bloquer ou d'atténuer considérablement leurs désirs physiques. La frustration sexuelle n'existe donc pas chez elles, ou ne se manifeste que fort discrètement. Ce sont du reste ces mêmes personnes qui renoncent le plus souvent à toute forme de relation physique lorsque leurs difficultés conjugales ne trouvent pas de solutions satisfaisantes.

Chez d'autres, en revanche, les vies sentimentale et sexuelle sont indissolublement liées et ne sauraient être distinguées l'une de l'autre. C'est notamment le cas de certaines femmes, pour lesquelles l'amour sentiment se trouve complètement confondu et représenté presque exclusivement par l'amour physique. Elles ne se sentent pleinement aimées que si on les aime physiquement. Ce phénomène psychologique explique par ailleurs ce qu'il est convenu d'appeler la nymphomanie, dont j'aurai du reste l'occasion de reparler. Chez ces femmes, la frustration sexuelle peut se révéler intense et les contraindre à des comportements ou à des initiatives sources de graves malentendus.

En ce qui concerne l'homme, il existe un phénomène assez proche de celui que je viens de décrire. Chez lui, en effet, l'idée qu'il se fait de sa virilité se trouve étroitement associée à sa vie sexuelle. Du moins est-ce le cas le plus souvent. Dans son esprit, faire l'amour à sa partenaire, c'est se prouver qu'il est un homme. La frustration sexuelle prend donc plus d'intensité chez lui. Mais une frustration qui, je tiens à le préciser, tient autant sinon plus à des raisons psychologiques qu'à la pression exercée par l'instinct. Nous comprenons ainsi que les troubles sexuels dont il peut souffrir soient responsables chez lui d'un véritable drame moral, dont les conséquences ne peuvent être que sérieuses. Il ne faut donc pas voir en l'homme une bête en rut assoiffée de sexe, mais un être pour qui la vie sexuelle est indispensable à son équilibre physique et moral.

J'ai par ailleurs déjà souligné l'importance de la frustration psychologique chez la femme quand j'ai décrit les effets de l'éjaculation précoce ou de l'impuissance sur le partenaire féminin. Celui-ci, nous l'avons vu, se méprenant sur la signification réelle des troubles de son compagnon, se remet en cause et en vient à croire qu'il a perdu tout pouvoir de séduction. Une telle conviction — erronée, je le répète — double et renforce la frustration purement physique, sur laquelle elle prend le pas et qu'elle finit par exprimer de façon presque exclusive. C'est elle, donc, qui est essentiellement ressentie. Ceci explique le soin que j'ai pris à la décrire, laissant à l'arrière-plan un manque physique qui se confond avec elle.

L'être qui souffre de troubles sexuels ou en est la victime indirecte du fait des difficultés de son partenaire éprouve donc un besoin urgent de mettre un terme à une frustration qui, nous le savons maintenant, se révèle autant psychologique que physique. Dans sa hâte bien compréhensible, il risque fort de tomber dans un piège d'autant plus redoutable qu'il se présente sous des apparences chatoyantes : l'infidélité conjugale.

L'INFIDÉLITÉ CONJUGALE.

L'infidélité conjugale se trouve à l'origine de tant de drames et de douloureux malentendus qu'il est nécessaire de démonter son mécanisme afin de désamorcer ses dangereuses conséquences.

J'insisterai tout d'abord sur un point essentiel : l'infidélité conjugale n'est jamais — je dis bien *jamais* — le fruit du hasard, de la frivolité ou de la perversité. Elle s'inscrit, tout au contraire, dans le cycle logique du malentendu conjugal, dont elle constitue l'une des conséquences possibles mais non obligatoires. Elle n'est donc en rien un événement isolé, un accident inexplicable ou injustifiable.

Comme chaque nouvelle couche de neige fraîche augmente le risque d'avalanche, l'enchaînement inexorable des méprises et l'incessante exacerbation des frustrations conduisent lentement les conjoints victimes de troubles sexuels à un point critique, à partir duquel l'un ou l'autre peut succomber devant une tentation devenue trop forte. C'est du reste ce que nous allons vérifier.

Nous avons en effet laissé dans un profond désarroi

le couple victime des difficultés sexuelles de l'un des deux partenaires. L'un comme l'autre, les conjoints se remettent en question. L'épouse doute de sa féminité et croit avoir perdu tout pouvoir de séduction. L'homme, pour sa part, s'interroge douloureusement sur sa virilité, qu'il pense à tout jamais défaillante.

Mais n'oublions pas l'atmosphère dans laquelle se déroule le plus souvent ce drame. Sourdement ou violemment, le couple ne cesse de s'agresser. Les propos venimeux succèdent aux reproches les plus injustifiés, les plus blessants. A chaque instant, l'hostilité réciproque transparaît, marque le moindre geste, le moindre silence. Chaque conjoint est pris dans l'étau de son oppressante solitude. Il est seul, terriblement seul face à un partenaire qui ne semble lui manifester que du mépris, seul en présence de ses doutes.

Inquiets, désorientés, souvent angoissés à un point qu'on imagine mal, ces êtres privés de plaisir sexuel et de tendresse cherchent désespérément une solution à leur propre malaise. Une solution urgente, car leur souffrance est devenue par trop intense.

Mais pourquoi cette solution prend-elle aussi souvent la forme d'une infidélité conjugale ? Pour deux raisons aussi simples qu'évidentes. Le problème posé étant de nature sexuelle et affective, l'idée vient naturellement de le résoudre avec une personne du sexe opposé. Cette personne ne saurait cependant être le conjoint, puisque celui-ci passe pour la cause des difficultés éprouvées. Ainsi le recours à un tiers s'impose-t-il par la force des choses.

L'homme ou la femme qui souffre de troubles sexuels ne tient évidemment pas de façon consciente le raisonnement que je viens d'exposer. L'idée est implicite, latente, parfois évoquée mais le plus souvent refusée par le sens moral. Seules des circonstances favorables sont susceptibles de la transformer en actes spontanés et non délibérés.

Car l'infidélité conjugale n'est en rien une fatalité. La souffrance psychologique et la frustration sexuelle la rendent seulement possible, en réunissant tous les facteurs nécessaires à sa survenue. Mais elle ne deviendra réalité qu'en fonction de circonstances particulières devenues ainsi hautement favorables. Le hasard se fera providentiel et servira de catalyseur à une réaction dont la fusion des éléments était préparée par avance. Ce sera, par exemple, à l'occasion d'une simple rencontre, au cours d'un dîner, d'un séjour de vacances ou sur le lieu de travail.

La rencontre d'un être compatissant, attentif et tendre. En un mot, un être rassurant ou qui paraîtra tel. Un être qui apaisera l'angoisse de celui ou de celle qui souffre, tout simplement parce qu'il saura manifester son propre désir et son amour.

Ainsi, grâce à cette idylle naissante, l'épouse qui se croyait délaissée ou frigide redécouvrira sa beauté, sa séduction et, parce qu'elle se sentira désirée, éprouvera du plaisir. Elle retrouvera ou inventera des caresses dont elle se croyait incapable. Existant pour son nouveau partenaire, elle existera à ses propres yeux. Regardé et admiré comme un homme, l'époux, pour sa part, retrouvera sa virilité et son identité masculine, ou pensera les avoir retrouvées, pour un temps. Car nous le verrons bientôt, l'infidélité se révèle souvent un piège redoutable.

« L'infidèle » n'est donc ni un « mauvais » homme ni une « mauvaise » femme. Ni l'un ni l'autre ne méritent de se voir taxés de perversité, d'immoralité ou de cruauté. Nuire à leur conjoint ou le blesser n'est en rien leur propos. S'il leur arrive de vouloir se venger, ce n'est qu'après avoir été trompés eux-mêmes, donc en raison de leur propre souffrance. Ils ne sont, en définitive, que des êtres qui ont voulu se sauver d'une situation devenue intolérable, d'une situation dans laquelle ils étaient sur le point de se perdre. A ce titre, et afin d'éviter que l'infidélité ne se transforme en drame irrémédiable, ils méritent compréhension, tendresse et amour. Car s'il est une circonstance où le couple doit bien se connaître et s'entraider, c'est bien celle-là.

Avant d'aborder le devenir de l'infidélité conjugale, je voudrais dire quelques mots de sa forme la plus trompeuse, et donc la plus dangereuse pour le couple.

J'ai affirmé plus haut que l'infidélité n'était qu'une conséquence du malentendu conjugal, SA VERITABLE CAUSE. Certains couples en sont néanmoins victimes, alors que leur existence semble se dérouler de la manière la plus paisible. L'infidélité semble alors un accident brutal et imprévisible, comme l'éclat du tonnerre dans le ciel serein de l'été.

Cette sérénité n'est toutefois que tout apparente. Je pense, par exemple, à la routine conjugale. Certes la vie des deux conjoints offre l'aspect lisse et sans ride de la surface d'une eau dormante. Mais, plus au fond, que de doutes et d'amertume. Que de frustrations. Et si le couple ne s'agresse pas, il n'en est pas moins parvenu à ce point critique qui fera de la moindre tentation une opportunité.

Je songe également à ces cas où le malaise initial a pris une forme particulièrement silencieuse et sournoise. Indifférents, courtois et glacés, les deux conjoints mènent des existences parallèles. Ils ne s'agressent pas ou; s'ils le font, c'est par omission. Ils ne se parlent pas, ne se regardent pas, s'abstiennent de tout geste tendre. Cette coexistence hostile n'exclut pas la possibilité de relations sexuelles, sèches, aseptisées, des rituels exaspérants de froide résignation. Là aussi, pour soigneusement dissimulées qu'elles soient, l'amertume et la frustration réunissent silencieusement les éléments d'une infidélité potentielle, alors à la merci de la moindre occasion.

L'infidélité a donc toujours une cause conjugale, même si celle-ci demeure parfaitement inapparente. Le couple qui en est victime doit voir en elle un signal d'alarme, une raison de s'interroger sur ses relations, non seulement sexuelles mais aussi quotidiennes. Une raison de se pencher sur le sort qu'il a réservé à l'amour dont il est issu, de se demander s'il a su l'exploiter pleinement et le traduire dans ses gestes de tous les instants. Une raison de se retrouver, et non s'en saisir comme prétexte pour aggraver encore un malentendu qui préexistait déjà. Erreur que le couple commet malheureusement trop souvent.

Il est des remèdes pires que le mal qu'ils sont censés soigner. Tel est fréquemment le sort de l'infidélité conjugale. Je tiens à préciser que ces propos ne traduisent pas de ma part une prise de position morale. Ils ne sont que le résultat des réflexions que m'inspirent mes observations quotidiennes. Or dans la majorité des cas, comme on pouvait du reste s'y attendre, l'infidélité aggrave le malentendu conjugal et ne constitue, en définitive, qu'une solution illusoire mais combien périlleuse. Et d'abord périlleuse pour l'épouse, que celle-ci joue le rôle du conjoint « infidèle » ou celui du conjoint « trompé ». Nous allons voir pourquoi.

Si l'expérience vécue par un être humain demeure unique et incomparable à toute autre, on peut toutefois distinguer deux obstacles majeurs auxquels se heurte l'épouse dite infidèle :

— La culpabilisation,

— La désillusion.

Une femme ne se livre à l'adultère que sous la pression extrêmement vive de raisons psychologiques impérieuses. Il en va de même, mais à un degré moindre, pour son compagnon. Pour l'essentiel, ces raisons demeurent néanmoins inconscientes. Dans l'ignorance de la cause réelle de sa conduite, l'épouse se trouve ainsi dans l'impossibilité d'expliquer son infidélité, dès lors injustifiable à ses yeux. Son sens moral, hérité d'éducations le plus souvent répressives en matière de sexualité féminine, la mentalité collective et l'opinion maladroite sinon mal intentionnée de son entourage, se chargent cependant de juger sans délais son acte : elle est coupable. Et même si son infidélité demeure un secret jalousement gardé et inviolé, elle se sent et se croit coupable, du moins dans la majorité des cas.

L'acte d'accusation ne manque d'ailleurs pas de « bonnes » pièces. Si nous ne réfléchissons pas et si nous ne voulons pas faire preuve d'ouverture d'esprit et de libéralisme, donc si nous jugeons de la manière la plus spontanée, la femme infidèle ne nous paraît-elle pas suspecte ? Ne soupçonnons-nous pas en elle quelque perversité, quelque tendance — innée, peut-être ? — à mener une « mauvaise vie » ? Si nous sommes encore un peu plus marqués par notre mentalité collective, ne voyons-nous pas en elle une garce, et je passe les qualificatifs les plus gracieux ? Oui, si nous ne réfléchissons pas, nous tombons, malgré nous, dans ces pièges tendus par notre éducation et des préjugés qui remontent à la nuit des temps.

Et l'épouse dite infidèle commet trop souvent la même erreur. A ses propres yeux, elle est coupable d'avoir rompu le pacte conjugal, d'avoir abusé de la confiance de son compagnon. Elle s'accuse de faire preuve de mœurs légères, d'obéir à une mentalité détestable, de se laisser uniquement gouverner par ses sens... Les mauvaises raisons ne lui manquent pas et elle s'emploie à les multiplier.

On dira que j'exagère et que je généralise à partir de cas qui ne sauraient être que minoritaires. L'évolution des mœurs, poursuivra mon contradicteur, a balayé toutes ces sornettes. La femme moderne est libre de son corps et de son esprit. L'adultère est devenu pour elle un acte sans conséquence.

Je m'inscris totalement en faux contre ce genre de raisonnement. Mon expérience quotidienne me prouve que la libération sexuelle demeure un phénomène relativement superficiel, plus un fait de société auquel il est de bon ton de se référer, qu'une évolution et une transformation en profondeur des mentalités. J'en prendrai pour seule preuve un sondage paru dans *Paris-Match,* le 28 janvier 1983. A la question : « L'infidélité dans le couple, pour vous, est-ce quelque chose de grave ou quelque chose d'anodin ? » 77 % des hommes et 76 % des femmes ont répondu : quelque chose de grave. Il ne s'est trouvé que 18 % d'hommes et 17 % de femmes pour juger anodin l'adultère.

Si l'infidélité paraît grave, elle paraît coupable. Ce

sentiment de culpabilité, parfaitement injustifié nous l'avons vu, s'insinue et se développe insidieusement chez une femme — et là est le drame — déjà profondément troublée. Chez une femme qui doute déjà de soi. Sa culpabilité, pour imaginaire qu'elle soit, a donc pour effet d'aggraver ses difficultés psychologiques. Par le jeu du phénomène de cercle vicieux, il s'ensuit deux conséquences essentielles :

— l'accentuation du malentendu conjugal,

— la persistance, si ce n'est l'aggravation, des troubles sexuels dont souffrait déjà l'épouse adultère, et donc de ceux du couple.

L'accentuation du malentendu conjugal n'est pas faite pour nous surprendre. Troublée par sa prétendue faute, l'épouse se replie sur elle-même et refuse tout contact sexuel et sentimental. Inabordable, elle oscille entre deux attitudes contradictoires : de longs moments de silence qui confinent parfois à la prostration, et de violents accès d'agressivité à l'égard de son compagnon. Car, dans son esprit, celui-ci lui paraît responsable de son infidélité. S'il avait fait preuve de plus de chaleur et de compréhension, elle n'aurait pas été acculée à une telle extrémité. Une telle réaction, on le comprend aisément, procède chez l'épouse de la volonté inconsciente de se décharger d'une part de sa culpabilité imaginaire. Mais pour compréhensible qu'elle soit, cette attitude n'en a pas moins pour effet d'alourdir encore le climat conjugal.

Ce même sentiment de culpabilité explique également la persistance des troubles sexuels. Avec le conjoint, cela semble naturel, puisque le malaise conjugal demeure et vient même de s'aggraver, comme nous venons de le voir. Mais, fréquemment, les difficultés sexuelles perturbent également les relations avec le partenaire extra-conjugal. Ce phénomène s'observe plus volontiers chez la femme que chez l'homme, mais celui-ci n'en est pas pour autant préservé, loin s'en faut. Aux effets inhibiteurs du sentiment de culpabilité — le refus inconscient d'un plaisir « interdit » — vient s'ajouter la crainte de connaître un nouvel échec. L'épouse adultère aborde donc souvent la relation sexuelle extra-conjugale dans un état de tension et de nervosité impropres à l'éclosion du plaisir. Or, si l'on me permet cette expression, l'adultère représente une partie difficile et grosse de risques. Soit il permet de redécouvrir l'épanouissement sexuel, et l'épouse se voit rassurée sur sa séduction et sur la plénitude de sa féminité. Soit il se révèle un échec sexuel, et tous les doutes que nourrissait en secret cette même épouse se trouvent apparemment confirmés. L'anxiété qui est habituellement la sienne, fait de la seconde éventualité la réalité la plus fréquemment observée. Phénomène dont l'homme adultère est aussi couramment victime. Ce sera là pour lui, comme pour sa compagne, une raison supplémentaire et aggravante de s'interroger et de douter de lui-même, donc d'entretenir bien involontairement ses difficultés sexuelles.

Mais la désillusion de l'épouse infidèle n'est pas uniquement de nature sexuelle. Le plus souvent, elle est également et surtout sentimentale.

En raison de son propre désarroi, la femme dite infidèle a éprouvé un sentiment de tendresse, voire d'amour, envers l'homme qui s'est montré attentif et empressé à son égard, et qui allait devenir son partenaire extra-conjugal. Mais, trop souvent hélas, cet homme est lui-même victime des préjugés dont j'ai parlé plus haut. Au lieu de voir dans sa nouvelle partenaire un être blessé qui éprouve un pressant besoin d'amour, de chaleur et d'affection, il la considère, trop fréquemment dis-je, comme « une bonne affaire », une occasion à ne pas rater, et non comme un partenaire sentimental à part entière.

Cet homme, essayons de le comprendre, sans vouloir pour autant justifier sa conduite. Imprégné d'idées préconçues, la femme infidèle lui apparaît non seulement suspecte de légèreté de mœurs mais aussi, et ce détail psychologique est essentiel, comme une femme dont la permanence des sentiments semble sujette à caution. Peut-on lui faire confiance puisque, précisément, elle est infidèle ? Dans l'esprit du partenaire extra-conjugal, la question se pose. Il a donc souvent peur d'être trompé, « floué », par une femme qui ne mériterait pas sa tendresse. Il a peur d'ôter son masque de mâle fort et sûr de soi, pour révéler sa sensibilité et son affection et, ainsi « dénudé », de paraître ridicule et naïf si, d'aventure, il était victime d'un être « volage », papillonnant d'homme en homme. En un mot, plus ou moins confusément, il a peur d'être « possédé ».

C'est pourquoi il se montre souvent sentimentalement réticent à l'égard de sa partenaire occasionnelle et a tendance à situer leurs relations sur un plan exclusivement sexuel. Cette sexualisation excessive des rapports extra-conjugaux contribue du reste au maintien sinon à l'aggravation de la frigidité dont souffrait déjà le partenaire féminin. Celui-ci se retrouve, en effet, dans la position dévalorisante d'objet sexuel, situation responsable précisément de ses difficultés actuelles.

Bien qu'il existe de nombreuses relations extra-conjugales heureuses et épanouies, l'infidélité représente donc fréquemment pour la femme une source de désillusions sentimentales et sexuelles.

On ne saurait mesurer — à moins de l'avoir vécu soi-même — combien cet échec se révèle dramatique, et demande de la part du conjoint compréhension et tendresse, alors que des mesures de rétorsion ou des « sanctions » prises contre la « coupable » ne feront que précipiter le couple dans le gouffre qui s'ouvre sous ses pas.

Mais voyons d'abord quelles sont, pour l'épouse infidèle, les conséquences de l'échec sentimental et sexuel de son expérience extra-conjugale.

Elle, qui se dévalorisait déjà, n'a que plus tendance à le faire. Et en cela, elle rejoint alors le sort douloureux de l'épouse trompée.

Qu'elle soit la dupe d'un adultère mystificateur ou la victime de l'infidélité de son compagnon, la femme croit en effet avoir une bonne raison de se remettre toujours plus en question : si son partenaire extra-conjugal et son mari lui montrent si peu d'attention c'est, ainsi qu'elle le croyait déjà, qu'elle a cessé d'être désirable et ne se trouve plus en mesure de procurer du plaisir à un homme. Conviction trompeuse, fruit de sa seule imagination et, surtout, effet pervers du malentendu conjugal qui ne cesse de développer ses conséquences dramatiques, mais conviction dont découleront, selon les cas, des attitudes fort différentes :

— la multiplication d'expériences extra-conjugales toujours plus décevantes,

— le renoncement sexuel,

— le développement insidieux d'une dépression ou de manifestations équivalentes.

Si le sentiment de culpabilité provoqué par la

première liaison extra-conjugale ne constitue pas un obstacle infranchissable, la tentation est grande de chercher auprès d'un autre homme le secours moral et physique que n'ont su apporter ni le mari ni le premier amant. Mais deux difficultés rendent la deuxième tentative extra-conjugale encore plus incertaine que la première. L'épouse, d'une part, demeure sur un sentiment d'échec. Son anxiété et sa crainte de connaître une nouvelle désillusion constituent autant d'obstacles à son éventuel épanouissement sentimental et sexuel.

Même si elle se garde bien de le montrer, c'est donc une femme inquiète et réticente à l'égard des hommes en général qui va au-devant de sa nouvelle aventure. Par sa tension intérieure et sa crainte de connaître une désillusion encore plus douloureuse, elle réunit inconsciemment tous les éléments propices à l'échec de la liaison qui s'amorce.

Mais son handicap majeur se révèle cependant d'une tout autre nature. Epouse déjà infidèle, elle porte, aux yeux d'autrui, la marque d'une fâcheuse réputation de légèreté, qui ne cessera de croître si elle multiplie ses expériences extra-conjugales. En conséquence de ce préjugé, le second amant, et a fortiori les suivants, adopteront une attitude encore plus désinvolte que le premier et, trop souvent, se révéleront bien décevants.

Le statut d'objet sexuel que l'épouse refuse et qui est précisément la cause de son infidélité lui sera donc imposé avec un cynisme croissant par ses amants successifs. Nouvel effet de cercle vicieux, plus elle sollicitera de tendresse et d'amour, plus on se contentera de lui proposer des coucheries expéditives. Ce mécanisme pervers est tout à fait comparable à celui qui détermine la nymphomanie. La nymphomane, qui court d'aventure en aventure, n'est pas une garce ou une « marie-couche-toi-là » comme le pensent bien à tort beaucoup d'hommes, mais un être qui éprouve un pressant besoin d'amour. Amour dont elle se trouve paradoxalement privée par l'effet de son comportement.

De déception en déception, d'amertume en amertume, c'est, au terme d'une vaine et douloureuse quête, une femme moralement brisée que nous retrouvons. De ses expériences successives, elle ne conserve qu'un sentiment de souillure et d'avilissement. Sa féminité, sa sexualité, n'ont été pour elle qu'une source d'angoisse et de désillusions. Dévalorisée à ses propres yeux, elle n'a que mépris pour les hommes auprès desquels elle n'a jamais trouvé la chaleur et la compréhension qui l'auraient sauvée, qui lui auraient rendu sa dignité de femme.

Du reste, femme elle ne se veut plus. Asexuée, tel est son nouveau statut, du moins celui qu'elle s'attribue. Froide, sèche, se voulant désespérément insensible à tout sentiment et à toute émotion, elle s'avance, rigide, dans le désert glacé du renoncement sexuel. Un univers où le mot amour n'a aucun sens, sinon pour les étourdies ou les sottes. Un univers où le conjoint se heurte à un refus méprisant quand il veut se laisser aller à ses « petites cochonneries ».

Solution extrême et heureusement peu fréquente, le renoncement sexuel est le plus souvent remplacé par un mal encore plus pernicieux : la dépression ou ses manifestations équivalentes, qui prennent des aspects tout à fait comparables à ceux que j'ai décrits dans le chapitre consacré au malaise initial. Je ne reviendrai donc pas sur la description de ces symptômes. Mais je tiens néanmoins à préciser un point essentiel.

Chez la femme vivant en couple, la dépression constitue un trouble carrefour. Elle est en effet aussi bien la conséquence du sentiment de culpabilité provoqué par une expérience extra-conjugale, que celle de liaisons répétées décevantes ou de l'adultère du conjoint. En outre, elle peut également trouver son origine dans les réactions intempestives d'un mari ou d'un compagnon trompé et tenu informé de son infortune. Cette dernière cause possible nous conduit tout naturellement à nous intéresser au comportement adopté par l'homme dont la femme est adultère. Mais il nous faut d'abord dire quelques mots de l'infidélité masculine.

A l'exception des cas où le sentiment de culpabilité ou un manque de confiance en soi provoque chez lui des troubles sexuels ou les entretient s'ils préexistaient déjà, l'homme, en définitive, vit bien sa propre infidélité. Le plus souvent, elle ne lui pose pas de problèmes psychologiques, car elle ne lui semble pas porter à conséquence. C'est du reste pourquoi je n'ai pas jugé nécessaire de consacrer un développement particulier à son comportement adultérin. Celui-ci, dans le cadre du malentendu conjugal, n'a d'importance que par ses répercussions sur l'équilibre moral de l'épouse, si celle-ci est tenue au courant de son infortune, bien entendu. Quand cela est le cas, la compagne réagit le plus souvent sur le mode dépressif ou tente de se rassurer par la voie incertaine de la relation extra-conjugale. Points sur lesquels je ne reviendrai pas.

Mais si l'homme vit bien sa propre infidélité, il

supporte très mal, en revanche, celle de sa compagne. Autant son adultère lui paraît presque normal et sans conséquence, autant voit-il dans la « trahison » de sa partenaire un acte d'une particulière gravité. Pourquoi ?

Les raisons de son choc psychologique — car la révélation de son infortune provoque chez lui un véritable choc qu'il dissimule plus ou moins bien — sont complexes. Il se sent bafoué et trompé, mais trompé au sens fort du terme, comme on peut l'être par l'imprévisible défaillance d'un ami d'enfance, par exemple. Evidemment, son instinct de possession participe au séisme. Il a été trahi par SA femme, femme qu'il considère toujours un peu, à tort d'ailleurs, comme une propriété personnelle, comme sa chose. Mais son amour-propre de mâle est également en cause. Sa partenaire a marqué de la préférence pour un autre que lui-même, niant ainsi sa prépondérance et son pouvoir. Une idée l'affecte cependant tout particulièrement et domine de loin tous ses autres griefs : sa compagne a éprouvé du plaisir dans les bras d'un autre. Un autre qui a su la faire vibrer et la conduire à l'orgasme. Même s'il n'en est rien, il s'en montre absolument convaincu. C'est donc, en définitive, sa virilité qui est visée, qui se trouve remise en question. Agression intolérable à laquelle il ne peut répondre que par une agression encore plus impitoyable : le mépris le plus sévère ou la violence, verbale ou physique. Autre sanction, intuitivement bien trouvée, la vengeance sous la forme d'un adultère complaisamment affiché, qui ne peut que toucher au vif une épouse déjà blessée.

Chez l'homme, comme chez la femme du reste, cette rancune teintée d'amertume est souvent durable.

Elle va donc développer dans le temps ses effets néfastes pour le couple. Celui-ci, formé de deux êtres inquiets et profondément troublés, qui éprouvent l'un pour l'autre un vif ressentiment, aborde alors la phase ultime du malentendu conjugal : le cercle vicieux, fruit d'une double méprise que nous allons découvrir dans le prochain chapitre.

Mais avant de traiter du cercle vicieux, je voudrais apporter une précision importante en ce qui concerne l'infidélité. L'adultère, tant masculin que féminin, que je viens de décrire s'inscrit exclusivement dans le cadre du malentendu conjugal. Il trouve son origine première, se prépare insidieusement au sein du couple lui-même. Conséquence d'une suite de méprises malheureuses et d'incompréhensions mutuelles, il mystifie deux conjoints que rien, par ailleurs, ne prédisposait à une telle mésaventure. Il est donc bien le résultat d'un malentendu proprement conjugal.

Il existe néanmoins une autre infidélité, dont les conséquences sont identiques à celles que j'ai exposées, mais qui, elle, est le résultat d'une difficulté psychologique ou sexuelle dont souffrait l'un des conjoints AVANT la formation du couple. Si la compréhension et la tendresse mutuelle des deux partenaires ne peuvent que favoriser la recherche et l'application d'une solution au problème qui préexistait, celui-ci demeure néanmoins du ressort de spécialistes, tels que psychologues ou sexologues. Vouloir se dissimuler un trouble toujours curable aurait pour seul résultat d'entraîner le couple dans une chaîne d'événements absurdes que nous connaissons bien : le malentendu conjugal.

LE CERCLE VICIEUX

Faisons un rapide retour en arrière pour mesurer l'ampleur de la mystification dont le couple est victime. A l'origine, comme nous le verrons au chapitre suivant, des incompréhensions mutuelles dépourvues de toute gravité mais répétées, modifiant insensiblement au fil des jours le climat du ménage. Des méprises qui appellent d'autres méprises. Puis, tel la source surgie à la surface après un long cheminement souterrain, le malentendu conjugal apparaît au grand jour sous la forme de troubles sexuels. Là, rupture de ton et de rythme. Le problème change de nature, à tel point qu'il semble naître de cette nouvelle étape.

Le malentendu sexuel, plus trompeur que tout autre, égare les conjoints sur des voies où tous deux risquent de se perdre. Perturbant profondément leur vie sexuelle, il ébranle également leurs sentiments et sème le doute dans leur esprit. Qui est vraiment ce partenaire responsable de tant de souffrances ? Un être qui aime, un indifférent ou un ennemi ? Ni un indifférent, ni un ennemi, bien entendu. Mais un doute troublant ne cesse plus de souffler ces deux réponses. Et la frustration achève le travail de sape, force les partenaires à l'agression mutuelle, qui ne fait qu'accentuer davantage le malentendu.

Mais que s'est-il passé en réalité, à l'arrière-plan du rideau de fumée tendu par les apparences ? Rien. Ou presque rien. A partir des minimes incompréhensions initiales, chaque conjoint, égaré dans l'inquiétant décor de sa solitude où il s'est LUI-MEME enfermé, s'est forgé de toute pièce un drame animé par ses seuls doutes. Piège imaginaire dont il est la première victime, mais dont les effets, bien réels ceux-là, se répercuteront sur son partenaire, dérouté par des événements qui échappent à toute raison. Hier encore amants, les conjoints, confrontés dans une lutte absurde, s'interrogent sur leur amour. C'est dans cette difficile situation que nous les avons laissés et que nous les retrouvons maintenant.

Et ce sont d'ailleurs des adversaires que nous retrouvons. Pourquoi ?

Celui qui nous fait souffrir, même s'il agit involontairement — ce qui est précisément le cas dans le malentendu conjugal —, est censé nous vouloir du mal. Or, les conjoints victimes du malentendu souffrent, ne l'oublions pas. Et ils ne peuvent que souffrir. Solitaires — combien solitaires —, humiliés, frustrés et doutant d'eux-mêmes, ils éprouvent la suprême douleur de se voir persécuter par un partenaire que, dans leur for intérieur, ils aiment toujours.

Qu'ils puissent être victimes d'une absurde succession de méprises ne leur vient pas à l'esprit. Car la réalité semble démentir une telle idée.

En effet, s'ils ne se fient qu'aux apparences, celles-ci ne peuvent que les conforter dans leur erreur et les persuader de l'animosité de leur partenaire. Indifférent, froid, violent, apparaît bien ce dernier. Du reste, ses propos critiques et désobligeants, souvent cruels, sont là pour écarter le moindre doute, s'il pouvait encore en subsister.

Mais s'il ne s'agit là que d'apparences. Le comportement et les invectives du partenaire, pour blessants qu'ils soient, ne traduisent en fait que sa propre souffrance, que son amertume de ne plus se sentir aimé. Si haine il paraît, elle n'est que la révolte d'un amour blessé. Vérité profonde mais vérité masquée, que les deux conjoints ignorent malheureusement. Là, est la tragique méprise. Tout naturellement, ils se perçoivent donc comme des adversaires. Leurs véritables sentiments, au-delà de leur amertume, sont tout autres. Seules leurs réactions de dépit amoureux les trompent et les abusent. C'est une réalité que tout couple doit connaître et dont il doit se convaincre.

Si les deux conjoints se méprennent et croient voir dans leur comportement respectif les signes d'une hostilité délibérée, le malentendu, déjà inquiétant en soi, s'accroît encore par l'effet des interventions maladroites de l'entourage.

Progressivement aggravé au fil du temps, échappant toujours plus au contrôle des protagonistes, le conflit conjugal n'a pas manqué d'attirer l'attention de l'entourage. Des confidences anxieuses ou désabusées, un trouble mal dissimulé, ont persuadé les familles des deux conjoints du bien-fondé de leur inquiétude, provoquée par des signes de mésentente toujours plus alarmants. Du couple, le malentendu s'est ainsi étendu aux proches. Proches qui n'ont que trop rarement la sagesse d'observer une stricte neutralité ou, ce qui serait mieux encore, d'exercer une influence modératrice. Et, le plus souvent, ils commettent l'erreur de prendre parti.

Avant de les blâmer, essayons de les comprendre. Au cours des accrochages, maintenant nombreux et qui ne s'embarrassent plus de la présence de tiers, il arrive à l'un et à l'autre des conjoints de se montrer sous un jour qui, apparemment, ne leur est pas favorable. Leurs silences hostiles ou leur agressivité, pour explicables qu'ils soient à nos yeux, n'en PARAISSENT pas moins des signes — trompeurs — d'un mauvais caractère ou d'un comportement conjugal inadmissible. Apparences — toujours les apparences — qui nourrissent les préventions, puis l'hostilité de la famille et des amis personnels de l'autre partenaire. Car les préférences jouent, le lien familial oriente les jugements. Les parents de chaque conjoint épousent le plus souvent la cause de leur enfant, en font leur champion, à leurs yeux unique victime du conflit, et, tout naturellement, attribuent l'entière responsabilité de la mésentente à l'autre partenaire, bientôt chargé de tous les péchés.

Et les arguments ne manquent pas. Dans un passé où elles étaient enfouies, on va chercher les habituelles mises en garde contre un futur conjoint assurément mal choisi. Mises en garde qui n'exprimaient que les préférences PERSONNELLES des parents, mais se souciaient peu des sentiments de l'enfant amoureux. Le moindre incident, autrefois passé inaperçu, est monté en épingle, interprété comme le signe annonciateur infaillible et évident des difficultés actuelles. Les petites inimitiés, les moindres heurts de susceptibilités entre les beaux-parents et leur gendre ou leur belle-fille, autrefois soigneusement dissimulés, trouvent enfin un facile exutoire et alimentent le conflit de rancœurs supplémentaires.

Mais l'élément essentiel du nouveau malentendu réside dans le fait que chaque famille voit, en toute bonne foi, dans le partenaire adverse l'être impossible et insupportable qui, sciemment, fait le malheur de son enfant. Comme l'enfer serait pavé de bonnes intentions, l'attitude de chaque camp part de bons sentiments mais nuit en réalité aux intérêts réels de celui ou celle qu'il prétend sauver.

Car, au lieu d'aplanir les difficultés, la formation de deux clans opposés a pour effet de les aggraver. Huis-clos où s'échafaudent les pires hypothèses et naissent les plus improbables soupçons, caisse de résonance de toutes les rumeurs quand ce n'est des plus troubles ragots, chaque clan attise l'antagonisme conjugal, comme le vent embrase une forêt à partir d'un feu de broussailles.

La conséquence à mes yeux la plus dramatique de la formation de deux clans antagonistes concerne les enfants, quand le couple en a, bien entendu.

Dans leur désarroi et emportés par leur passion, les parents commettent en effet trop souvent deux erreurs, dont les suites demeurent parfaitement imprévisibles. Qu'ils prennent leurs enfants à témoins et les fassent juges de leur querelle, ou qu'ils leur reprochent implicitement ou explicitement de constituer un obstacle à un divorce libérateur, ils les placent en tout état de cause dans une situation particulièrement douloureuse.

L'enfant aime son père ET sa mère. Il tient tout autant à l'affection de l'un qu'à celle de l'autre. Et leurs disputes le déchirent et l'angoissent. Lui demander ou, à plus forte raison, lui imposer un choix impossible, revient à le troubler profondément et durablement. L'accuser, lui qui n'a pas demandé à naître, de s'opposer par sa seule présence à la séparation du couple, donc à son hypothétique bonheur une fois libéré, c'est lui faire endosser une responsabilité qui manifestement n'est pas la sienne. Des années plus tard, cependant, il se reprochera encore amèrement d'avoir fait le malheur de ses parents. Triste départ dans la vie, lourd handicap.

Au lieu d'être entraîné de vive force dans un conflit qui n'est pas le sien et dont il ne peut que souffrir, l'enfant, tout au contraire, doit demeurer le cœur du foyer, autour duquel et pour lequel les parents pourront se réconcilier. L'enfant, lui aussi, a droit au bonheur. Or seuls ses parents, SES DEUX PARENTS UNIS, sont en mesure de réunir les conditions nécessaires à son plein épanouissement.

Mais la formation de deux clans antagonistes a également un autre effet pervers. Aggravant le conflit qui existe entre les deux conjoints, elle accélère la dégradation de l'idée que ces derniers se font l'un de l'autre. Il s'agit là d'un phénomène tellement important dans le développement, et surtout dans l'EN TRETIEN du malentendu conjugal, que je tiens à le décrire en détail.

Bien avant la naissance du conflit, quand le couple se forme, les deux partenaires, dans la majorité des cas, se jugent d'une manière particulièrement favorable. Comme le dit avec beaucoup de perspicacité la sagesse populaire, ils se regardent avec les yeux de l'amour. Le plus petit détail qui pourrait porter l'ombre la plus légère sur l'idylle en cours, même s'il est perçu, est néanmoins soigneusement gommé. Et nos deux amoureux se trouvent beaux, intelligents, charmants...

La cohabitation, la vie quotidienne et le temps qui passe nuancent cependant ces portraits quelque peu idéalisés. Mais l'impression dominante demeure favorable. Car la tendresse et l'affection mutuelle atténuent les petits défauts révélés au fil des jours. C'est ainsi, par exemple, que les petites manies de chaque conjoint ne provoquent que le sourire et font l'objet d'une tendre indulgence. Jugées attendrissantes, elles justifient même un surcroît d'affection. Les sautes d'humeur, les petits agacements, passent pour brouilles sans lendemain — ce qu'elles sont d'ailleurs.

Et, en définitive, les deux conjoints continuent à se regarder avec les yeux de l'amour. Même si cet amour se révèle moins passionné et plus raisonnable qu'autrefois (cf. sondage *Paris-Match* déjà cité : 86 % des hommes et 81 % des femmes interrogés sont toujours amoureux de leur partenaire après plusieurs années de mariage).

Mais le malentendu conjugal vient brouiller les cartes et substitue à ces opinions favorables des jugements aussi faux qu'injustifiés.

Les méprises successives, les querelles toujours plus fréquentes, tracent en effet de chaque partenaire le portrait, cruel mais tout APPARENT, d'un être indifférent, froid, égoïste et violent. Caricature outrancière qui ne tient compte QUE DES COMPORTEMENTS et néglige totalement les SENTIMENTS éprouvés par le modèle. Pourquoi un tel parti pris ? Pourquoi, surtout, un renversement d'opinion aussi radical ?

Imaginons qu'une personne pour laquelle nous

éprouvons de l'affection se montre, sans raison apparente, indifférente ou agressive à notre égard. Comment allons-nous réagir ? En premier lieu, nous souf frirons. Puis nous nous interrogerons. Que lui ai-je fait ? Pourquoi m'en VEUT-ELLE ? Par un simple réflexe psychologique, voilà cette personne déjà soupçonnée de malveillance à notre égard. Alors qu'en toute logique, elle peut aussi bien traverser une période de préoccupations, de soucis ou de nervosité, qui explique son comportement, sans que pour autant nous soyons responsables de ce dernier.

Cette simple évidence ne nous vient que rarement à l'esprit. Suspecte d'animosité à notre égard, ANIMOSITE QUE NOUS LUI AVONS ATTRIBUEE, la personne en question fait l'objet de notre part d'une attention toute nouvelle. Et, de la façon la plus inconsciente, nous allons chercher puis trouver dans ses faits et gestes la confirmation de notre PREJUGE. Du reste, les détails ne manqueront pas pour approfondir notre méprise, puisque notre religion est déjà faite. Sans cesse renforcés dans notre erreur, nous verrons cette personne sous un jour de plus en plus antipathique, jusqu'au moment où elle nous apparaîtra sous les traits d'un ennemi. Alors, nous ne lui ferons grâce de rien. Tout en elle nous paraîtra ridicule, méprisable ou mesquin. Ainsi l'opinion que nous avions d'elle aura-t-elle changée du tout au tout.

C'est exactement le même mécanisme psychologique qui joue dans le malentendu conjugal et conduit les deux conjoints à se percevoir sous les traits caricaturaux, portraits aussi trompeurs que les images grotesques renvoyées par un miroir déformant.

Victime d'une double méprise, le couple ne voit pas que ses querelles, ses bouderies et ses agressions mutuelles, ne sont pas les preuves d'une haine réciproque, mais le résultat aberrant d'un amour blessé, du désir de se retrouver qui se heurte à un mur d'incompréhension.

Bien sûr, chaque conjoint « en veut » à l'autre, se surprend à le détester. Mais ces sentiments ne sont que des accès temporaires de colère et de frustration, d'autant plus violents qu'ils jaillissent d'un amour qui désespère. Ressentiments passagers que le temps risque néanmoins de transformer peu à peu en rancunes permanentes.

Ainsi que je l'écrivais plus haut, cette double méprise du couple se trouve considérablement renforcée par la formation de deux clans antagonistes. L'entourage, par ses insinuations, ses propos malveillants ou ses conseils qui se voudraient judicieux mais se révèlent le plus souvent nuisibles, attise en effet les passions, provoque de nouvelles disputes. Au lieu d'apaiser, il jette de l'huile sur le feu. Et, à grands traits maladroits, il accentue encore l'aspect caricatural de portraits déjà peu flatteurs. Au bout du compte, les deux conjoints, qui se croyaient déjà adversaires, se voient en ennemis.

Ce double malentendu conduit à une INTERPRETATION SYSTEMATIQUEMENT ERRONEE des faits et gestes de chaque partenaire. Suspect par principe, celui-ci est en effet soupçonné des pires intentions. Et comme l'on ne prête qu'aux riches, on ne saurait voir en lui que malveillance, arrière-pensées et conduites douteuses.

Si, victime du malentendu conjugal, l'un des conjoints a, par exemple, cru se sauver dans l'adultère, on se convainc qu'il persévère dans son erreur.

L'idée qu'il ait pu s'amender ou qu'il regrette son geste n'effleure même pas l'esprit. Non, infidèle il a été, infidèle il sera toujours. Conviction partiale et sans appel qui n'épargne aucun détail de la personne ou du comportement de ce même conjoint. Ses petites manies qui, nous l'avons vu, faisaient autrefois sourire ou passaient inaperçues, font maintenant l'objet de réflexions cinglantes, et passent pour des signes évidents d'un caractère impossible ou d'une personnalité profondément perturbée.

Ce même conjoint, lassé par d'incessantes querelles, prononce-t-il quelques mots tendres, tente-t-il un mouvement de rapprochement, son attitude d'apaisement est immédiatement la source d'une nouvelle méprise. Soupçonné par principe d'hostilité, si ce n'est de haine, il ne saurait faire preuve de sincérité. Pour son partenaire, son geste représente donc forcément une marque d'hypocrisie ou la manifestation d'un intérêt purement égoïste.

C'est ainsi que la femme voit souvent, dans les tentatives de conciliations de son compagnon, autant de manœuvres sournoises et hypocrites pour la contraindre à des relations sexuelles qu'elle refuse. Victime de son erreur d'interprétation INVOLONTAIRE, elle repousse évidemment sans ménagement ce qui lui semble des propositions particulièrement mal venues. Touché alors au vif de sa sensibilité, son compagnon se referme aussitôt ou se montre d'autant plus agressif qu'il s'estime injustement rabroué. On le voit, le malentendu n'est pas sur le point d'être dissipé.

Mais l'homme ne se révèle pas moins maladroit que la femme dans cette folle course à la méprise. Aux ouvertures de sa compagne, il ne voit en effet qu'une explication : un intérêt bassement matériel. Si son épouse manifeste une volonté d'apaisement, c'est naturellement par crainte pour sa sécurité financière. Seule la perspective inquiétante de se retrouver sans soutien justifie son attitude conciliante. L'homme le pense sincèrement. Il le pense et il le dit, sans fioritures. Humiliée par tant d'incompréhension, l'épouse se réfugie alors à son tour dans une hostilité silencieuse ou répond à l'outrage par un autre outrage.

Et les méprises appellent d'autres méprises, touchent des sujets toujours plus insignifiants. L'un des conjoints s'absente-t-il un moment pour une simple course ou pour des raisons professionnelles, par exemple ? Il se voit immédiatement accusé de rejoindre son amant ou sa maîtresse. Demeure-t-il quelques instants silencieux ? Il est taxé d'indifférence ou de mépris. Prononce-t-il quelques paroles anodines ou fait-il une simple remarque ? Ses propos sont censés dissimuler une allusion perfide ou un jugement défavorable.

Rien n'échappe à ce jeu de massacre, à cette recherche obstinée du double sens et de l'arrière-pensée imaginaires. Et vient le moment où chaque partenaire ne sait plus s'il doit parler ou se taire, plaisanter ou rester sérieux, se montrer attentif ou indifférent... aucune attitude ne sera la bonne, mille mauvaises raisons pourront la rendre critiquable et dénatureront totalement son sens véritable.

Le couple ne se comprend plus et ne parle plus la même langue. Les conjoints ont des événements des visions totalement opposées, parfaitement contradictoires. Un fait dépourvu de toute importance pour l'un, devient une injure ou une intention malveillante pour l'autre. Et le malentendu se répète cent fois, mille fois par jour, pour tout et pour rien. C'est du reste mon expérience quotidienne de cette invraisemblable incompréhension mutuelle qui m'a imposé le titre du présent ouvrage : le malentendu conjugal. Nul autre titre eût mieux convenu.

Objet d'interminables discussions, chaque méprise se termine tout naturellement par une scène. Et rien ne saurait empêcher la confrontation. Si l'un des conjoints refuse une polémique qu'il juge inutile, il est immédiatement accusé d'indifférence ou de lâcheté. Agressé, il finit par tomber dans le piège que lui tend son irritation et réplique à son tour. Si, au contraire, il voit la nécessité d'une mise au point sur une question particulière, l'opposition radicale des points de vue conduit inévitablement à l'affrontement.

Crises incessantes qui sont à l'origine de crises encore plus nombreuses. Chaque nouvel incident accroît en effet la nervosité et l'agacement des conjoints. Et dans une atmosphère chargée d'électricité, la moindre étincelle provoque une déflagration.

Les mots rendent mal le climat qui règne alors dans le couple. Comment dire cette tension et cette anxiété permanentes ? L'attente douloureuse, oppressante de l'incident redouté ? Tension de tous les instants qui devient une obsession, qui monopolise l'esprit et le détourne de toute autre préoccupation. Car, malgré lui, le couple ne vit plus que pour son conflit. Cent fois, mille fois, il le reconstitue par la pensée dans ses plus infimes détails. Occasions multipliées de raviver de douloureux souvenirs, de s'interroger sur les prétendues fautes commises, de se convaincre toujours davantage de la cruauté du partenaire.

Comment dire la solitude, l'amertume et le désespoir ? Solitude en présence d'un être en qui l'on voit un persécuteur ou un ennemi. Amertume de faire l'objet de tant d'incompréhension et de ne pas être rassuré de son angoisse. Désespoir devant le gâchis d'une vie et d'un amour que l'on croit perdus.

Comment dire la rancœur qui confine à la nausée ? Comment dire la révolte née de la douleur ? Car, perdu dans ce qui lui semble le naufrage de toute une existence, chaque conjoint a l'illusion de se sauver en agressant un partenaire dans lequel il voit l'unique source de son malheur.

Comment s'étonner, dès lors, de la multiplication des accrochages. Une scène prépare la suivante, et la suivante une autre encore. Le conflit se nourrit de lui-même, est devenu sa propre cause. Le malentendu conjugal a atteint son paroxisme et le cercle vicieux déploie tous ses méfaits. Si rien ne l'arrête, le couple court à sa perte.

Et il est vrai que le couple se trouve gravement menacé. Un signe inquiétant confirme du reste le danger qui le guette : les conjoints sont parvenus au point où ils redoutent de se retrouver en présence l'un de l'autre. Pour fuir des confrontations insupportables, chacun préfère se réfugier dans sa solitude. La rupture se profile donc à l'horizon. Comme les nuages d'un orage en montagne obscurcissent soudain le ciel, elle risque de mettre un terme brutal à une crise qui n'a que trop duré.

Trop souvent, je reçois dans mon cabinet des couples parvenus à ce seuil critique. Deux choses me frappent toujours, la profondeur de leur détresse et l'absurdité presque surréaliste du conflit qui les oppose.

Qu'on me comprenne bien, les propos que je viens de tenir ne signifient nullement que je sous-estime les difficultés de mes patients. Il ne s'agit pas de cela. Et, tout au contraire, je demeure confondu par le contraste qui existe entre les dimensions prises par la crise qu'ils traversent et le caractère insignifiant de ses causes.

Car le propre du malentendu est précisément de reposer sur une base extrêmement fragile, sur un fait dépourvu d'importance, puis de se développer sans cesse par l'effet de cette incompréhension de départ. Si mes patients et des milliers de couples souffrent, ce n'est pas pour les raisons qu'ils invoquent en toute bonne foi. Se croyant gravement atteints, ils ne sont en fait victimes que d'une méprise. Méprise douloureuse, certes, mais méprise quand même.

Seule l'idée de ne plus être aimés, mais au contraire haïs ou méprisés par l'être qu'ils ont choisi pour partager leur existence, fait souffrir les conjoints. Or j'insiste sur ce point, le problème, dans sa réalité, ne se pose absolument pas en ces termes.

Si les conjoints se disputent et s'agressent, ce n'est donc pas par manque d'amour, mais parce qu'ils CROIENT en toute sincérité à l'hostilité de leur partenaire, sans toutefois être en mesure de préciser exactement l'origine de celle-ci. Conviction trompeuse qui est précisément la CONSEQUENCE du malentendu.

Afin d'illustrer mes propos, je cite toujours à mes patients l'exemple de ces familles qui, de génération en génération, se cherchent sans cesse querelle, alors qu'elles ont totalement oublié ou n'ont jamais connu les causes exactes du différend qui les oppose. Elles se disputent parce qu'elles se cherchent dispute et parce qu'une dispute en entraîne une autre. Elles se querellent parce qu'elles se CROIENT ennemies, donc elles se COMPORTENT comme telles.

Mais si, d'aventure, on leur demande les raisons de leur animosité réciproque, elles citent la longue liste des incidents passés. Belles réponses, en réalité ! C'est prendre les effets pour les causes. Si incidents il y a, ils ne sont que le résultat des préjugés infondés qui animent chaque camp. D'abord effets d'une cause perdue dans le temps, les disputes entre les deux familles ne sont devenues que SECONDAIREMENT la source de nouveaux conflits. Conflits absurdes qui ne reposent en définitive que sur les méfaits de l'incompréhension.

Les couples en difficulté sont comme ces familles, victimes d'une suite ininterrompue de malentendus. Couples formés d'adversaires imaginaires mais qui, néanmoins, se font vraiment et réellement souffrir. Il leur faut donc prendre conscience de l'étendue de leur méprise, afin de mettre au plus tôt un terme à une crise dépourvue de toute raison et qui, de surcroît, entretient un antagonisme tout apparent.

Mais la prise de conscience doit avant tout porter sur l'objet même du malentendu. C'est-à-dire, sur le sentiment éprouvé par chaque conjoint d'avoir perdu l'amour de son partenaire, qui n'aurait plus à son égard que mépris ou indifférence. Là aussi, j'ai déjà eu l'occasion de le dire, la méprise se révèle totale. Et nous allons voir pourquoi en étudiant les causes du malentendu conjugal.

LES CAUSES DU MALENTENDU

I

Le chapitre consacré au malaise initial nous a enseigné qu'il n'est pas possible de fixer au malentendu conjugal un début précis dans le temps. Le malaise initial s'installe insidieusement des mois, voire des années, après la formation du couple. Aucun événement significatif ne marque son origine, qui semble ainsi se perdre dans le flou d'une existence quotidienne apparemment exempte de toute difficulté particulière.

J'ai écrit apparemment, car en réalité, au cours de la période qui s'étend du début de la vie commune aux premiers signes du malaise, se produisent des faits d'une particulière importance. Importance qui n'a du reste d'égale que leur extrême discrétion, qui les rend imperceptibles pour les deux conjoints. Que se passe-t-il donc exactement ?

LES DIFFERENCES DE CARACTÈRES.

L'homme et la femme qui vont unir leurs existences sont en fait des étrangers l'un pour l'autre, aussi longue que soit la période pendant laquelle ils se sont fréquentés. J'entends par là qu'ils ont reçu des éducations différentes, qu'éventuellement ils ne proviennent pas du même milieu, qu'ils diffèrent souvent par leurs opinions, leurs goûts, leur façon de voir la vie... Surtout, ils n'ont pas les mêmes habitudes. S'il arrive cependant que leurs personnalités se rapprochent beaucoup, elles ne sont jamais exactement semblables. C'est donc en ce sens que les futurs conjoints sont des étrangers l'un pour l'autre, puisqu'il leur faudra apprendre à vivre ensemble en tenant compte de leurs différences.

Mais ils devront également faire cohabiter leurs caractères respectifs. Car s'ils diffèrent par leurs habitudes, leurs personnalités n'en sont pas moins dissemblables. Caractères différents car ils sont deux êtres distincts, mais aussi parce qu'ils sont homme et femme. Par son importance, cette question mérite que nous l'examinions en détail.

Chacun d'entre nous possède un caractère. Ainsi peut-on observer des personnes timides, réservées, peu expansives et peu communicatives. D'autres se révèlent particulièrement démonstratives, enjouées et dynamiques. D'autres encore sont tendres, rêveuses et romantiques. Ces dernières s'opposent aux êtres énergiques, décidés et actifs. On rencontre aussi des lymphatiques, des hyperactifs, des lunatiques... Mais je ne poursuivrai pas davantage cette énumération qui n'offre pas d'intérêt par elle-même. Retenons seulement que les différences de caractères sont susceptibles de se révéler très contrastées.

Fait important, le caractère d'une personne se traduit par son COMPORTEMENT. C'est-à-dire par les gestes et les attitudes qu'elle adopte dans la vie de tous les jours.

Ainsi, le timide, par exemple, se manifeste très peu. Il ne faut pas attendre de sa part de longs discours, de grandes embrassades, la multiplication de gestes affectueux. Malgré lui sur une prudente réserve, il économise ses gestes et, surtout, n'exprime par ses sentiments. L'expansif, en revanche, brusque un peu tout son monde. Toujours pressé, il prend plus qu'il ne sollicite, ne voit pas les petits détails, se préoccupe peu des nuances. Si le timide pouvait paraître indifférent, lui semble désinvolte et égoïste. Là aussi, je ne crois pas nécessaire de multiplier les exemples. Attardons-nous plutôt sur ce fait dont nous verrons bientôt toute l'importance : le comportement d'une personne peut nous tromper sur la réalité de ses sentiments. Car si le timide PARAIT indifférent, il ne l'est pas forcément. Comme tout être humain, il éprouve des émotions, des sentiments, mais chez lui, cela NE SE VOIT PAS. Il y a donc bien risque d'erreur d'interprétation. Pour ne prendre encore qu'un seul exemple, il en va de même en ce qui concerne l'expansif. Si celui-ci semble désinvolte et personnel, cela ne lui interdit pas pour autant de ressentir de la tendresse et de l'affection, que dissimule son activité incessante.

Mais voyons maintenant en quoi notre étude des caractères peut encore nous aider dans la compréhension du malentendu conjugal.

LES CONCORDANCES ET LES OPPOSITIONS DE CARACTÈRES.

Si l'on tient compte de la multiplicité et de la diversité des caractères possibles, un couple a toutes les chances de réunir deux conjoints de caractères différents. Tout le problème est alors de savoir si ces deux caractères vont concorder et, surtout, s'adapter DURABLEMENT l'un à l'autre.

Car on peut comparer la coexistence de deux personnes — qu'il s'agisse du lien conjugal, de relations professionnelles, sociales, familiales, amicales... —à la mise en présence des pôles de deux aimants : ils se repoussent s'ils sont du MEME SIGNE, ils s'attirent s'ils sont de signes OPPOSES.

C'est ainsi que certains caractères se complètent parfaitement, concordance dont les deux partenaires tirent équilibre et épanouissement.

Une personne timide, par exemple, un peu inquiète devant la vie, trouve son complément dans un conjoint actif, sûr de soi et rassurant. Il en va de même en ce qui concerne certains êtres entreprenants, pratiques, dont l'existence est tournée vers le monde extérieur, mais qui éprouvent le besoin de se réfugier régulièrement auprès d'un partenaire calme et tranquille.

On le voit, la concordance des caractères repose avant tout sur leur COMPLEMENTARITE.

Aussi ne sera-t-on pas surpris de voir s'accorder — si l'un est plus actif que l'autre — deux conjoints un peu casaniers, aimant leur intérieur et une existence paisible. L'exemple que je viens de citer ne met pas la règle de l'opposition des signes en défaut, car j'ai bien précisé que l'un des partenaires devait se montrer plus actif que l'autre. C'est-à-dire qu'il lui reviendra de prendre l'initiative, et cela dans tous les domaines : affectif, sexuel, social, administratif... Le même phénomène se retrouve dans la complémentarité de deux conjoints aimant le sport, la vie en plein air, de deux artistes, de deux timides même, de deux êtres qui partagent la même passion pour une profession, qu'elle soit commerciale, artisanale, scientifique, artistique...

D'autres caractères, en revanche, ne s'accordent pas. Ainsi en est-il de deux hyperactifs expansifs. S'ils possèdent au même degré ces traits de caractère, ils en viennent très vite à ne plus se supporter, car en permanence ils se trouvent en compétition. Même phénomène en ce qui concerne deux grands timides : ils éprouvent rapidement le sentiment désagréable de ne réunir que leurs deux solitudes.

La discordance est encore plus nette quand le couple unit un inquiet et un insouciant. La légèreté du second accentue sans cesse l'anxiété du premier. Même opposition entre un jaloux et un être épris de liberté ou très personnel. Opposition également entre un être sentimental qui a besoin d'affection et un partenaire égoïste ou indifférent.

Mais le problème de la discordance ne devrait pas se poser dans un couple, puisque l'une des principales raisons qui le conduit à s'unir se trouve être précisément la concordance de caractères des deux partenaires qui le forment. Alors comment se fait-il que, malgré des conditions aussi favorables, autant de couples rencontrent des difficultés au cours de leur cohabitation quotidienne ?

Il y a à cela deux raisons :

— la différence de mentalité entre l'homme et la femme ;

— le mécanisme du malentendu conjugal.

HOMME ET FEMME.

Depuis des millénaires, les rôles de l'homme et de la femme dans le couple sont soigneusement distribués et décrits. Si l'homme, par l'effet d'un progrès constant, n'est plus le valeureux chasseur, ni même le redoutable guerrier seigneur et maître, il occupe néanmoins dans notre mentalité collective une position encore privilégiée. Cette dominance théorique se révèle d'ailleurs d'autant plus dangereuse pour le couple qu'elle est subtile et à peine consciente.

En droit, en effet, dans les propos de tous les jours, La femme est devenue l'égale de l'homme. Mais si l'on y regarde de plus près, rien n'est moins sûr.

Dans la réalité quotidienne, l'homme demeure en fait une sorte de maître du foyer. Un maître qui, s'il a perdu beaucoup de sa puissance, conserve cependant suffisamment d'ascendant psychologique pour déséquilibrer la relation conjugale.

De quoi s'agit-il précisément ? Quitte à la nuancer ultérieurement, je traduirai ma pensée par une seule phrase : l'homme « règne » sur un foyer dont sa compagne a la charge et dont elle est censée être responsable. C'est dire que dans l'esprit de l'homme, consciemment ou inconsciemment, son foyer ET sa femme constituent une propriété personnelle découlant d'une sorte de droit naturel. De ce fait, excepté son devoir de financement qui remplace sa mission de chasseur d'autrefois, il ne se sent pas d'obligations particulières à l'égard de la famille qu'il a fondée. Et du reste, quand il sanctionne ses enfants fautifs, ce n'est pas sous la pression d'une obligation, mais dans le but de faire respecter SA loi dans SON territoire.

Dans la majorité des cas, cette attitude masculine n'est pas consciente, elle découle des habitudes mentales et de l'éducation. Mais cela ne l'empêche pas de se traduire dans les faits, même chez des hommes tout à fait acquis au principe de l'égalité des sexes.

Si cette attitude passe trop facilement le « filtre » de la conscience et fait adopter à certains hommes un comportement en contradiction avec leurs opinions égalitaires, c'est surtout et avant tout parce qu'elle se manifeste par des détails de la vie quotidienne, qui semblent ainsi passer inaperçus. Nous en verrons bientôt de nombreux exemples.

Mais si l'homme ignore le plus souvent en toute bonne foi ses obligations à l'égard de sa famille et de sa compagne, celle-ci, en revanche, n'échappe en aucune manière à celles que lui attribue notre mentalité collective. Souffrant d'un statut moral infinimen moins libéral, elle est présumée responsable de l'épanouissement des siens. On l'a d'ailleurs tellement convaincue de ses multiples devoirs, qu'elle ne cesse de s'en découvrir de nouveaux, prenant ainsi le risque de s'imputer des fautes qu'elle n'a pas commises.

Censée être la gardienne vigilante du foyer, l'ordonnatrice des menus et grands plaisirs, la maîtresse experte et toujours disponible, le cordon-bleu dont on attend sept cent trente merveilles par an — c'est le nombre des principaux repas au cours d'une année — la femme, consciemment et surtout inconsciemment, attend de son seigneur et maître le regard ou le geste d'approbation qui la RASSURERA sur la qualité de ses multiples services.

Placée dans l'obligation de plaire, elle est donc INQUIETE, car on peut la comparer à un étudiant qui devrait passer plusieurs examens tous les jours.

Mais ne dramatisons pas. Son anxiété n'a rien de permanent. Elle n'apparaît que dans la mesure où l'un des services ne semble pas convenir ou satisfaire. Je dis bien SEMBLE. Nous verrons bientôt, du reste, toute l'importance de cette précision.

Comme l'homme ignore le plus souvent en toute bonne foi ses obligations à l'égard des siens pour la simple raison qu'il n'en a pas conscience, le besoin d'être rassurée éprouvé par la femme se révèle tout aussi inconscient. Ce qui n'empêche pas pour autant ce même besoin de produire trop fréquemment des effets particulièrement inquiétants. Et cela, même chez les femmes qui ont opté pour les positions les plus féministes. Victimes de la mentalité ancestrale, elles n'en tombent pas moins dans les pièges que leur tend celle-ci.

Ainsi, les psychologies différentes de l'homme et de la femme constituent déjà en elles-mêmes un risque de méprise pour les couples. Risque de méprise sur lequel survient trop souvent le mécanisme du malentendu conjugal.

LE MÉCANISME DU MALENTENDU.

Démonter le mécanisme du malentendu, c'est un peu raconter l'histoire du couple.

Tout commence par une idylle. C'est-à-dire dans l'ambiance enivrante de l'amour partagé. Au cours d'une suite de moments privilégiés où l'on ne vit à deux que le meilleur en oubliant le quotidien.

Si chaque rencontre des futurs conjoints prend l'allure d'une fête, puisqu'elle a pour prétexte essentiel des loisirs partagés, elle constitue également pour eux l'occasion de se séduire mutuellement. Plaire est en effet la préoccupation principale des nouveaux amants. A une époque encore récente, ne disait-on pas du fiancé qu'il « faisait sa cour » ? Si l'expression n'a plus cours, le fait demeure. Au cours de l'idylle, les partenaires s'offrent réciproquement l'image la plus flatteuse d'eux-mêmes. Les efforts en matière d'apparence physique et vestimentaire se doublent d'un comportement de séduction.

L'homme se montre charmant, attentif, prévenant, amuse sa compagne et s'efforce d'apparaître fort et déterminé. Tous les petits aspects de sa personnalité qui pourraient ternir un portrait aussi brillant sont soigneusement gommés. Et, je le répète, l'homme apparaît d'autant plus charmant qu'il ne partage avec sa compagne que les meilleurs moments de l'existence.

La femme, favorisée par les mêmes circonstances, ne fait pas moins d'efforts pour plaire à celui qu'elle a choisi. Elle met en valeur ses atouts physiques et adopte de la façon la plus spontanée des attitudes qui ne peuvent que toucher la sensibilité masculine : charme, tendresse, pudeur teintée d'une subtile complicité, provocation sexuelle masquée et nuancée d'ingénuité, demande indirecte de protection... Mais au même titre que son compagnon, elle ne laisse pas transparaître les traits de caractère susceptibles de la desservir.

Qu'il soit masculin ou féminin, le comportement de séduction n'a cependant rien de volontaire ni de délibéré. Il ne faut pas voir en lui une manœuvre dont le but serait de tromper sciemment le partenaire. Adopté de la façon la plus naturelle, il correspond tout simplement au besoin de plaire que nous éprouvons tous. Et l'on veut plaire tout spécialement à celui ou à celle dont on désire être aimé.

Réuni, assuré de ses sentiments, le couple décide de mener une existence commune. Sans en avoir conscience, il franchit ainsi un seuil capital. Car, dès lors, il lui faut tout partager. Non plus seulement les plaisirs, comme cela a été le cas jusqu'à présent, mais également les tracas et les servitudes de la vie de tous les jours. En un mot, il passe de la romance au quotidien.

Insensiblement, car tout ce que nous allons découvrir maintenant se produit de manière imperceptible, les deux conjoints, qui s'étaient présentés sous les aspects les plus chatoyants de leurs personnalités, abandonnent leur comportement de séduction et laissent réapparaître les traits de caractère qu'ils ont hérités de leur éducation. Ils retrouvent leurs habitudes et leurs petites manies. Pour faire image, je dirais qu'ils s'installent dans la vie conjugale comme, après une longue journée, on se détend dans un bon fauteuil, en tenue un peu négligée et les pantoufles aux pieds. L'amour glisse ainsi déjà du mauvais côté de la cohabitation routinière.

Mais pour que le malentendu conjugal se développe, il faut l'intervention de deux facteurs dont j'ai signalé l'existence plus haut :

— une nette différence de mentalités entre l'homme et la femme,

— une discordance de caractères entre les deux conjoints.

L'homme, par les effets de la mentalité collective et de son éducation, a trop souvent tendance à vivre en couple comme s'il était resté célibataire. En exagérant un peu pour mieux illustrer mon propos, je dirais qu'il confond fâcheusement mais involontairement le foyer conjugal avec un hôtel-pension. Je tiens à préciser que son attitude ne se veut en rien désobligeante à l'égard de sa compagne, elle lui semble parfaitement naturelle et demeure inconsciente. Mieux, elle lui EST naturelle. Ce qui signifie en rien qu'il ne puisse pas en prendre conscience et la CORRIGER.

Mais voyons d'un peu plus près son comportement de « célibataire ». Il se traduit à la fois par une absence morale ou physique du foyer et par une attitude à l'égard de sa compagne qui tient plus de la camaraderie ou de l'association d'intérêts que de l'amour et de la tendresse.

Après la formation du couple, beaucoup d'hommes jugent en effet normal de reprendre leurs habitudes de garçon. Selon leurs goûts et leurs préférences, ils retrouvent tout naturellement le chemin du café où les attend une bonne vieille équipe d'amis, celui de leur club sportif, du siège de leur activité politique, de leur cercle... Ou alors ils consacrent tout leur temps libre à un hobby solitaire. Temps volé à l'épouse, temps volé au couple, temps malheureusement perdu pour l'amour.

De retour au foyer, à une heure normale ou après les moments d'indépendance qu'ils se sont attribués, ils se comportent en « maris » et non en amants. C'est du pareil au même, dira-t-on. Oh que non ! Le mari, pour sa part, après un baiser discret sur le front de sa compagne, s'absorbe dans le spectacle de la télévision, dans la lecture du journal ou d'un livre, dans ses comptes, dans une activité de bricolage... Il est là sans être là. Il attend que le dîner soit prêt, que le café soit passé, que soit venue l'heure d'aller se coucher. Il ne vit pas AVEC sa compagne, mais A COTE d'elle.

A l'encontre de l'amant, il n'a pas à l'égard de son épouse l'attention, la présence et la tendresse qu'elle attend.

Attente, attente solitaire dans la grisaille de la routine conjugale, telle est donc le sort trop fréquemment réservé à la femme. Son horizon se réduit progressivement au retour, jour après jour, des mêmes tâches et obligations quotidiennes. Ces travaux sont nécessaires et il faut bien que quelqu'un les fasse, c'est évident. La majorité des femmes, du reste, ne les contestent pas et les assurent sans difficulté, même si beaucoup n'y voient pas la source de plaisirs ineffables. L'ennui, le grand ennui, vient du fait que la routine conjugale réduit la femme AU SEUL ETAT DE MENAGERE. Si son compagnon est passé insensiblement du statut d'amant à celui de mari, elle, pour sa part, s'est trouvée métamorphosée de femme aimée en gouvernante.

C'est du moins ce qu'elle ressent. Car la réalité se révèle tout autre, évidemment. Mais les habitudes et les apparences jouent contre le couple. Les deux conjoints s'aiment toujours, mais déjà ILS NE SE LE PROUVENT PLUS. Et cela, parce que la routine quotidienne, ankylosante et paresseuse, fait obstacle aux témoignages de leur mutuel amour.

C'est pourquoi l'épouse se sent seule et délaissée ; elle croit deviner dans le comportement de son compagnon les marques d'une indifférence croissante à son égard. Cette méprise, dangereuse pour le couple, va se trouver accentuée par les effets de la discordance de caractères.

Dans l'immense majorité des cas, la discordance, quand elle existe, ne porte que sur des petits traits de caractère, des détails, des faits totalement anodins, tellement quotidiens, que le couple n'en a pas conscience et ne les remarque pas. Seules leur répétition et leur accumulation au fil des jours, des mois, voire des années, finiront par créer un climat de sourde tension, une atmosphère détestable, apparemment dépourvus de raison précise et désignable.

Au même titre que la routine conjugale que je viens de décrire, la discordance de caractères n'est donc pas grave en elle-même. Elle ne le deviendra que par ses effets. Basée à l'origine sur des malentendus sans conséquence, elle demeure donc à la portée de solutions simples. Mais voyons d'abord comment elle se présente dans la vie quotidienne du couple.

Afin de mieux démonter son mécanisme, je décrirai en détail sa forme qui me paraît la plus fréquente, puis je me contenterai de citer ses autres aspects. Mais je tiens d'ores et déjà à préciser que, quelles que soient ses modalités, le résultat final sera toujours le même : chaque conjoint éprouvera le sentiment douloureux d'avoir perdu l'amour de son partenaire.

Si je m'en réfère à mon expérience personnelle, le couple victime du malentendu conjugal associe fréquemment deux types de caractères assez précis. Le mari, dans son ménage du moins, parle et communique peu. La rareté de ses paroles et de ses confidences s'accompagne d'une pauvreté de gestes et d'attention à l'égard de sa compagne. En termes techniques, ce type de caractère porte le nom d'introversion. Pour ce qui nous intéresse, l'introverti accentue le comportement masculin que j'ai décrit plus haut. Mais les deux attitudes ne doivent pas être confondues. La seconde s'observe à des degrés divers chez tous les hommes, alors que la première ne touche que certains d'entre eux. Pour me résumer, je dirais que nous nous trouvons en présence d'un homme renfermé, peu bavard et, surtout, peu expansif dans ses gestes. A l'extérieur, dans sa vie sociale et professionnelle, ce même homme peut se révéler actif et entreprenant ou, tout au contraire, paraître dépourvu d'ambition, menant en tous domaines une existence un peu terne. Ces dernières différences ne jouent qu'un rôle secondaire dans le conflit conjugal qui se prépare. L'épouse d'un introverti actif s'étonnera du contraste entre le dynamisme social de son compagnon et sa « froideur » à son égard. Celle d'un introverti passif s'interrogera sur la « tristesse » et l'indifférence de son partenaire. Toutes deux, comme nous le verrons, auront tendance à se croire coupables du comportement « anormal » de leur époux.

Pour sa part, la compagne de cet homme peu communicatif est un être sensible, délicat, éprouvant un grand besoin de tendresse. Elle aime être rassurée sur elle-même. C'est-à-dire sur sa beauté, sa silhouette et son élégance. Mais également rassurée sur ce qu'elle FAIT. Sur l'entretien de sa maison, le soin qu'elle consacre à la décorer, la cuisine qu'elle prépare, sa façon de faire l'amour et le plaisir qu'elle procure à son partenaire, la qualité de sa réussite professionnelle quand elle travaille. En un mot, elle a besoin d'être rassurée sur l'amour qu'on lui porte et sur son importance dans la vie de son conjoint.

Au même titre que son compagnon, elle peut, par ailleurs, se montrer vive, enjouée et dynamique, ou tendre et discrète. Ces traits de caractères annexes sont susceptibles de masquer sa véritable personnalité que je viens de décrire, de constituer autant de pièges responsables de méprises de la part du partenaire.

Il pourrait en effet paraître superflu de manifester de la tendresse à une femme active, débordante de vitalité et ne détestant pas manier la plaisanterie, voire la provocation parfois hardie ou leste. Comme il peut sembler délicat et surtout difficile pour un homme de s'immiscer dans l'univers secret d'un être rêveur et romantique, apparemment absent au monde de la réalité quotidienne. Ces deux types de caractères féminins déroutent les hommes, fréquemment maladroits à l'égard d'apparences qui les déconcertent. Active ou romantique, une femme demeure une femme. A ce titre, elle attend d'être rassurée et aimée.

Or pour qu'elle se sente aimée, il faut lui PROUVER l'amour qu'on lui porte. Non pas seulement en rentrant tous les soirs au domicile conjugal, en lui donnant de l'argent, même beaucoup, en lui achetant de belles toilettes et en lui faisant « bien » l'amour, mais par des GESTES et des PAROLES.

En l'absence de ces témoignages que je qualifierai de palpables, une femme se croit progressivement délaissée et abandonnée, privée d'amour. Nous allons voir comment au chapitre suivant.

LES CAUSES DU MALENTENDU

II

A la fin du chapitre précédent, nous avons laissé en présence un homme « renfermé », peu communicatif, et une femme éprouvant le besoin d'être rassurée sur les sentiments dont elle fait l'objet. Maintenant que les personnages sont en situation, voyons comment le malentendu va prendre naissance.

Depuis longtemps, les derniers échos de l'idylle qui a réuni les deux partenaires se sont perdus dans le « ron-ron » de la vie quotidienne. Les semaines, les mois, voire les années, ont passé. Et nous sommes parvenus au moment où le climat conjugal évoque une arrière-saison aux journées encore ensoleillées, mais dont la fraîcheur des soirées annonce l'automne.

Quand le couple est réuni, il ne se passe rien. Rien, sinon des faits de la plus grande banalité dont l'amour est exclu. Les époux n'ont plus l'un envers l'autre les marques de tendresse et d'affection d'autrefois. Ils vivent comme de vieux amis qui, à force de se fréquenter, n'auraient plus grand-chose à se dire. Leurs propos se limitent aux préoccupations les plus quotidiennes, leurs gestes sont devenus habitudes.

Or, c'est le caractère « renfermé » du partenaire

masculin qui va enclencher le mécanisme du malentendu conjugal. Au fil des jours, son mutisme, son repliement sur soi — qui lui sont naturels, ne l'oublions pas — vont lui donner l'APPARENCE de l'indifférence.

J'ai bien écrit l'apparence et j'insiste sur ce mot. Nous retrouvons ainsi le phénomène que j'ai décrit au chapitre précédent en traitant des différences de caractères. Si, par le geste et la parole — j'aurais dû écrire par l'absence de gestes et de paroles — le mari se montre peu communicatif, c'est par un effet de son caractère dont il n'est pas responsable, et non par un défaut de sentiments à l'égard de sa compagne. Il faut bien comprendre le mécanisme de l'apparence qui, en définitive, se trouve à l'origine de tous les malentendus, qu'ils soient conjugaux ou de toute autre nature. Le mari dont nous parlons aime sa femme, mais il ne SAIT pas lui témoigner son amour. Je dirais même qu'il ne pense pas et même n'imagine pas que cela s'avère nécessaire. A ses yeux, sa présence au foyer et sa participation à la vie du ménage constituent des preuves flagrantes de sa tendresse pour son épouse. Il est là, donc il aime. Du moins croit-il cela suffisant.

Mais sa compagne, que VOIT-elle ? Elle qui, précisément, éprouve un profond besoin de tendresse. Tous les jours — j'insiste sur cette inlassable répétition — elle se trouve en présence d'un partenaire qui semble avoir oublié son existence et qui ne se comporte plus en amoureux à son égard. Il sait lui demander si elle a repassé ses chemises, préparé le repas ou porté son costume chez le teinturier. Mais il omet de lui dire qu'elle a changé de coiffure, que son nouvel ensemble met sa silhouette en valeur, que le plat qu'elle lui a préparé tout spécialement se révèle une réussite. Il n'a plus pour elle de regards complices, l'idée de lui prendre la main quand ils se promènent ou le geste de la serrer contre lui, tout simplement, par pure tendresse.

Nous savons maintenant que son attitude n'est en rien délibérée. Mais, vue de l'extérieur, elle n'en passe pas moins pour de l'indifférence. INCONSCIEMMENT, sa compagne assimile donc son apparente indifférence à une dégradation de ses sentiments à son égard. Car, tout aussi inconsciemment, elle tient ce raisonnement logique mais trompeur : celui qui aime prouve son amour. Il est attentif, gentil, caressant. Il témoigne de l'intérêt pour sa compagne et participe à son existence. Puisque son mari ne se comporte pas de la sorte, c'est donc qu'il ne l'aime plus.

Notons un fait important. L'épouse est d'autant plus facilement victime des apparences que son caractère la rend extrêmement sensible aux marques de tendresse, donc également à leur absence. Le malentendu conjugal résulte ainsi de l'ASSOCIATION d'une personnalité peu communicative ET d'un être doté d'une affectivité particulièrement développée. Ceci explique que, dans un certain nombre de cas, les rôles puissent être inversés : l'attitude que j'ai attribuée à l'homme étant alors dévolue à l'épouse, et celle du partenaire féminin au mari. Comme je l'ai affirmé à plusieurs reprises, la recherche d'un responsable du malentendu se révèle donc strictement inutile — et même dangereuse. Car, ainsi que nous venons de le voir, la méprise trouve uniquement son origine dans une mutuelle et involontaire incompréhension.

Ceci étant précisé, voyons l'enchaînement des causes du malentendu.

Les doutes éprouvés par l'épouse sur les sentiments de son partenaire demeurent d'abord inconscients. Ils se traduisent par le malaise initial décrit dans le premier chapitre. Nous comprenons ainsi que l'épouse puisse souffrir de troubles divers dont elle ignore absolument la cause réelle, puisque celle-ci reste inconsciente. Elle ne fait donc pas la « tête » comme le croit trop volontiers son compagnon. Elle ne boude pas non plus, ni ne manifeste une quelconque mauvaise volonté. Elle est seulement victime d'un malaise dont les raisons lui échappent totalement. Il s'avère donc non seulement inutile mais dangereux de la « secouer », de lui demander de faire des efforts ou de l'agresser. De telles attitudes, interprétées comme des marques d'animosité à son égard, ne pourraient que renforcer sa frustration affective, et donc son malaise, sans pour autant l'éclairer sur l'origine de celui-ci.

Comme nous l'avons vu, le partenaire masculin tombe néanmoins le plus souvent dans ce piège qui lui est tendu. Ses réactions maladroites ont alors pour effet d'amener progressivement à la conscience de sa compagne des doutes demeurés jusqu'alors inconscients. Dès lors, elle s'interroge sur l'amour de son époux. Et plus elle s'interroge sur cet amour, plus elle en doute.

Aidée en cela par le jeu mystificateur des apparences — toujours les apparences — elle interprète en effet d'une manière systématiquement erronée mais involontaire les moindres faits et gestes de son conjoint. Et les silences de celui-ci — n'oublions pas qu'il est un être « renfermé » — la rareté de ses gestes d'affection, les premiers signes de son agacement ou de son agressivité, constitueront autant de preuves trompeuses de son apparente indifférence affective.

Convaincue maintenant de n'être plus aimée ou craignant de ne plus l'être, l'épouse adopte alors un comportement en conséquence. Indifférente ou agressive, elle tient son compagnon à distance. A son tour, elle se montre de moins en moins communicative. Le malentendu est prêt à entrer dans la phase des troubles sexuels.

Etre aimé et être désiré sont deux choses essentiellement différentes. Pour parvenir à son plein épanouissement, une femme doit se sentir l'objet de ces deux sentiments. Dans son for intérieur, du reste, amour et désir demeurent indissolublement associés, mais se distinguent néanmoins par des nuances extrêmement importantes. L'amour de l'homme qu'elle aime porte une femme au bonheur. Le désir qu'elle provoque chez LES hommes la flatte et la rassure sur son pouvoir de séduction.

Or, dans le cadre du malentendu conjugal, les doutes éprouvés par l'épouse portent à la fois sur les sentiments de son partenaire et sur le désir physique qu'elle lui inspire. Si son compagnon semble indifférent, n'est-ce pas également pour la bonne raison qu'il n'est plus troublé par son corps ? Son pouvoir de séduction se trouve donc remis en question, du moins le pense-t-elle.

Une analyse psychologique plus fine montre que ce sentiment d'avoir perdu tout attrait physique est lié à la disparition progressive de la « cour » faite par le mari pendant l'idylle et au cours des premiers temps de l'union. Une conduite amoureuse et empressée témoigne, en effet, de tout l'intérêt porté à l'être désiré. Les caresses, les chuchotements complices, les démarches « d'approches » et de conquête, délicates mais passionnées, constituent ainsi, aux yeux du partenaire féminin, autant de preuves du désir éprouvé à son égard — preuves que la femme espère et attend.

Or, dans la plupart des ménages, par l'effet de la routine conjugale, le partenaire masculin escamote purement et simplement l'indispensable prélude de séduction qui doit précéder toute relation sexuelle. Celle-ci devient alors une sorte de parenthèse soudaine et inopinée, sans suite logique avec la continuité de la vie du couple. A l'heure dite ou à la sauvette, on fait l'amour comme on avale un en-cas après une fringale subite, avant de retourner à des occupations plus sérieuses. Combien de femmes souffrent ainsi de voir leur partenaire se rhabiller en hâte, dès la fin du rapport, pour aller fumer une cigarette, les laissant frustrées de la tendresse qu'elles espéraient.

Dans le type de malentendu conjugal que nous étudions pour le moment, le caractère peu communicatif et « renfermé » du partenaire masculin donne une tournure caricaturale au phénomène que je viens de décrire. Cet homme peu bavard, et pour lequel sa compagne ne semble pas exister, ne paraît se souvenir de sa présence que lorsqu'il éprouve un besoin sexuel.

Dans ces conditions, il est naturel que l'épouse ne voie pas dans les avances sexuelles de son conjoint le résultat d'un désir qu'elle aurait su provoquer par l'effet de sa séduction, mais uniquement la manifestation d'un BESOIN purement physique. Envie, qualifiée si élégamment d'hygiénique, que n'importe quelle femme serait susceptible d'assouvir. Nouvelle méprise, qui ne fait plus du désir masculin un hommage rendu aux charmes de sa partenaire mais un outrage, puisqu'elle semble faire jouer à l'épouse le rôle de catin.

Ayant le sentiment de prêter son corps à un partenaire qui n'en dispose que pour son seul plaisir, l'épouse perçoit peu à peu la relation sexuelle comme une obligation et une contrainte. Celui qui a pour rôle de servir un délicieux repas éprouve infiniment moins de satisfaction que celui qui le déguste. Le premier n'est qu'un moyen, qu'une utilité. Moyen utile et pratique, puisqu'elle se trouve en permanence à portée de main, telle se perçoit la femme victime du malentendu conjugal. D'où son impression d'être réduite au rôle d'objet sexuel. Ce sentiment, dont on parle tant, n'a donc pas été inventé par les journalistes ou par des auteurs farouchement féministes. En fait, il correspond bel et bien à une réalité psychologique vécue par un trop grand nombre de femmes.

Simple moyen, puisqu'elle se perçoit ainsi maintenant, l'épouse ne peut éprouver de plaisir au cours de relations sexuelles qui lui apparaissent dévalorisantes. Insatisfaite, humiliée et contrainte, elle se montre bientôt réticente à l'égard de la sexualité, avant d'en retirer un sentiment de malaise. Et vient le moment où elle se refuse à son partenaire. Non pour punir ou priver celui-ci, mais pour s'épargner des expériences devenues trop douloureuses, et qui représentent une menace pour son équilibre moral.

Ainsi que j'ai eu l'occasion de l'écrire dans les chapitres consacrés aux troubles sexuels, c'est seulement parvenus à ce stade que les conjoints prennent le plus souvent conscience du malaise qui s'est établi entre eux. Nous connaissons la suite des événements et il ne me paraît pas utile de revenir sur leur triste développement. En revanche, je voudrais insister sur un fait essentiel à mes yeux.

A plusieurs reprises, j'ai affirmé que le malentendu devenait très rapidement SA PROPRE CAUSE, qu'il s'entretenait et prenait de l'ampleur par l'action de ses propres effets, emportant malgré eux les conjoints dans un tourbillon de méprises. Comme j'ai affirmé qu'il ne fallait pas voir en ces mêmes conjoints des adversaires acharnés se poursuivant de leur haine et de leur vindicte, mais les victimes innocentes d'un mécanisme dont les ressorts leur échappent totalement. Nous allons maintenant découvrir les raisons psychologiques de cet absurde cercle vicieux.

Nous le savons maintenant, le type de couple le plus fréquemment victime du malentendu conjugal se trouve composé d'un homme peu communicatif et d'une femme sensible aux marques de tendresse et d'attention. Que cet homme et cette femme soient par ailleurs, au-delà des APPARENCES de leurs caractères, gais, gentils, tendres, ou froids, agressifs et même violents, ne change rien au mécanisme du malentendu, sinon que celui-ci constituera un terrain particulièrement favorable à la manifestation de tendances agressives. Dans le cadre de leurs relations de couple, les partenaires demeurent l'un renfermé, l'autre sensible, et se comportent comme DEUX TIMIDES qui se paralysent mutuellement.

Car un timide préférerait souffrir mille morts plutôt que de livrer l'objet de ses préoccupations. Obéissant au même réflexe psychologique, les deux conjoints taisent soigneusement le trouble que provoquent en eux les premiers signes du malentendu. Je dirai même que ces derniers ont pour effet d'accentuer leur mutuelle réserve. Chacun souffre en silence, échafaude mille hypothèses toutes plus sombres les unes que les autres, prête à son partenaire les pires intentions et les plus noirs sentiments. L'époux, déjà peu communicatif, se referme alors complètement sur lui-même, paraissant encore plus indifférent. Quant à sa compagne, dont la sensibilité est évidemment touchée au vif, elle se réfugie dans un repli sur soi qui lui semble son ultime recours.

L'explication, l'indispensable explication, qui dissiperait le malentendu se révèle donc impossible. Du moins le paraît-elle. Car il suffirait de peu de choses. Un peu de compréhension et de tendresse. La bonne volonté de considérer, ne serait-ce un instant, le point de vue du conjoint, d'admettre sa souffrance sans pour autant s'en tenir pour responsable. Oui, ces petits efforts livreraient le passage aux mots que la pudeur et le doute retiennent. Mais, en leur absence, trouvant le champ libre devant lui, le malentendu conjugal développe ses méfaits en toute impunité. Et ce ne sont pas les premiers accrochages, provoqués par la souffrance et les frustrations accumulées des deux partenaires, qui pourraient le dissiper.

De méprise en méprise, les deux conjoints accentuent toujours davantage cette caricature d'eux-mêmes qui leur confère l'apparence de l'hostilité qu'ils se prêtent. Ennemis ils se croient, ennemis ils se voient. Mais quels sont en fait leurs véritables sentiments ?

Je n'insisterai pas sur le fait que chaque conjoint — et tout particulièrement l'épouse — doute de l'amour de son partenaire, amour auquel il finit par ne plus croire. Cette méprise involontaire, née des apparences, est la pierre angulaire du malentendu conjugal. Elle lui donne son caractère particulièrement douloureux et lui imprime une tournure passionnelle responsable de l'âpreté des affrontements. En son absence, rien ne se produirait et je ne rédigerais pas en ce moment précis un livre sur les problèmes du couple.

Si cet aspect de la question nous est maintenant familier, un point, en revanche, n'a pas encore retenu notre attention : le couple s'aime-t-il encore ?

Blessé dans son amour et frustré dans ses désirs, chaque partenaire éprouve de l'hostilité envers celui qui le fait souffrir, alors qu'il attendait tout de lui. Une hostilité qui peut atteindre des degrés de violences extrêmes ou se limiter à une feinte indifférence. L'animosité à l'égard du conjoint, qui ne va cesser de croître au fil du temps, entre naturellement en compétition avec les sentiments de tendresse et d'affection ressentis pour lui auparavant. Vient un moment où elle supplante ces derniers, qui semblent alors se réduire à un bel amour sans lendemain.

Mais si, à ce stade, l'on demande à chacun des conjoints l'état exact de ses sentiments à l'égard de son partenaire, sa réponse se révèle embarrassée : il ne sait pas. Pour être tout à fait précis, il ne sait plus. Ses pensées sont partagées, contradictoires. Certes, il ne manque pas de griefs et ne les cache en aucune manière. Le portrait qu'il trace de l'être qui partage sa vie ne ménage guère celui-ci, au point qu'on pourrait le croire affublé de tous les défauts et de tous les péchés de la Création. Mais, en même temps, s'expriment un dépit, une amertume, une jalousie mal dissimulés et, surtout, une sorte d'attente, qui, on ne saurait s'y méprendre, sont les signes que l'amour subsiste.

Alors, que se passe-t-il exactement ?

C'est, une fois de plus, dans le jeu mystificateur des

apparences qu'il faut chercher la réponse à la question posée. Le conjoint haı ou détesté, celui qu'on ne croit plus aimer, c'est celui qui PARAIT indifférent. Celui qui semble tourmenter son compagnon ou sa compagne. Lui seul fait l'objet d'agressions et de reproches. Débarrassé de sa défroque de faux-semblants, il demeure l'être aimé, l'être avec qui l'on veut partager son existence. Spontanément, les conjoints font d'ailleurs ce distinguo en demandant fréquemment à leur partenaire de REDEVENIR COMME AVANT. Confusément, ils pressentent l'existence d'un malentendu et SOUHAITENT la dissipation de ses effets.

Longtemps encore, l'amour l'emportera. Mais chaque semaine, chaque mois perdus le rendront plus fragile, alors que le malentendu accumulera griefs et ressentiments, dont le poids se fera toujours plus lourd. Si rien ne vient le dissiper, un jour apparaîtra l'indifférence. La vraie. Celle qui conduit l'un des conjoints, ou les deux à la fois, à se désintéresser totalement du sort de leur partenaire. Celle qui est le signe infaillible de la mort de l'amour.

Dans le type de discordance de caractères que je viens de décrire, la confusion des sentiments se développe lentement. Assez fréquemment, elle ne se révèle qu'après plusieurs, sinon de nombreuses années de vie commune. Elle poursuit même certains couples durant toute leur existence. Tant bien que mal, ils s'en accommodent, se résignent, acceptant indéfiniment une terne cohabitation sur laquelle planent de lourds sous-entendus, comme d'autres se résignent une fois pour toute à la grisaille de la routine conjugale.

Dans le cadre des discordances que nous allons

découvrir maintenant, les événements prennent une tournure bien plus rapide. Les chocs se produisent précocement. Le malentendu prend un aspect particulièrement passionnel et violent. L'existence de tels couples ne s'en trouve pas condamnée pour autant, du moins ne courent-ils pas de risques supérieurs à ceux dont le conflit se révèle moins orageux. Certains s'accommodent de la violence comme d'autres de l'indifférence, leur vie sentimentale et sexuelle dut-elle en être gâchée. La prolongation de la mésentente n'en demeure pas moins un facteur aggravant qu'on ne saurait négliger. Elle favorise en effet la formation d'un contentieux qui constitue toujours un obstacle dans la solution des problèmes conjugaux. Il est donc inutile de le laisser se développer exagérément.

Or c'est précisément ce qui risque de se produire quand le couple conflictuel se trouve formé par une femme doutant de soi par l'effet de son caractère et d'un homme moralement rigide et critique. Les rôles peuvent être inversés, mais le premier cas se révèle bien plus fréquent que le second.

Dans le Midi, on dit d'une personne tatillonne, faisant des remarques acerbes à tous propos et surtout hors de propos, qui se montre systématiquement insatisfaite des actes d'autrui, qu'elle « trouve toujours à redire ». C'est précisément le cas de tels maris. A peu de chose près, leurs compagnes ne trouvent jamais grâce à leurs yeux. Quoi qu'elles fassent, il y a toujours matière à critiques. La soupe est ou trop chaude ou trop froide, exagérément salée ou insipide. La soupe ne représente bien entendu qu'un exemple parmi mille, car tout sert de prétexte à ces maris atrabilaires.

Une telle avalanche de reproches, pour la plupart

totalement injustifiés, quand ils ne le sont pas tous, provoque inévitablement de multiples conflits, dont la fréquente violence n'a d'égale que la futilité. Ils ont pour effet d'accentuer le manque de confiance en soi de l'épouse qui, perdue dans cette tempête de critiques, finit par commettre de véritables erreurs ou s'abstient de toute initiative. Ce dont profite naturellement le mari pour augmenter sa causticité et multiplier ses remarques dévalorisantes. Dans de telles conditions, comment s'étonner que sa compagne doute rapidement des sentiments qu'il lui porte ?

Il est important de savoir que dans ce cas, comme dans ceux que nous allons bientôt découvrir, le partenaire critique n'a aucune conscience du caractère intolérable et inadmissible de son attitude. En toute bonne foi, il croit avoir raison et voit dans le comportement de sa compagne une succession de maladresses et de fautes inqualifiables. Ce dont il n'a surtout pas conscience, c'est de son désir de voir agir sa partenaire selon SA PROPRE LOI. Seules sa façon d'agir et de considérer les choses lui semblent les bonnes. Tout autre conduite lui paraît erronée, et prend surtout à ses yeux l'aspect d'une malveillance à son égard. Cette dernière méprise explique du reste l'hostilité sans cesse croissante qu'il nourrit envers son conjoint, soupçonné d'animosité — imaginaire — à son encontre.

Afin de mettre un terme au malentendu, le partenaire critique doit donc prendre conscience de ses préjugés et faire preuve de tolérance en reconnaissant à son conjoint un indispensable et juste droit à la différence. Attitude que devrait également adopter le partenaire masculin du couple conflictuel que nous allons maintenant découvrir.

Tous les hommes ont de la femme une idée personnelle. L'éducation, le milieu social, l'origine ethnique ou régionale, la religion, les premières expériences de l'adolescence... ont peu à peu formé ce modèle. Celui-ci, parce qu'il est idéal, correspond rarement à la réalité.

Cette réalité récalcitrante, certains hommes veulent cependant l'accommoder de vive force au produit de leur imagination et faire de leur compagne la fidèle réplique de leur idéal. L'entreprise ne se révèle pas dépourvue de difficultés et de risques. Surtout si l'épouse souffre d'un manque de confiance en soi.

Elle interprète en effet les efforts entrepris par son partenaire pour la métamorphoser comme autant de critiques à son égard. S'il la désire autrement, c'est donc qu'elle n'est pas « comme il faut ». Or pour un être qui doute de soi, un reproche, même s'il est injustifié ou se résume à une simple impression, s'avère moralement intolérable. Il lui faut donc se « normaliser », faire en sorte qu'il corresponde à l'image qu'on attend de lui. Aucun sacrifice ne lui semblera trop grand.

Combien ai-je ainsi vu de malheureuses femmes passées — avec quelles angoisses — dans les moules les plus imprévisibles et les plus invraisemblables. Je ne citerai que pour mémoire les transformations vestimentaires, l'adoption d'une nouvelle coupe ou teinte de cheveux, l'application de certains maquillages, le « dressage » à des manières de se conduire particulières. Peu de choses, en définitive, comparées à ce que l'on peut assimiler à de véritables lavages de cerveau en matière de comportement ou à d'importantes interventions chirurgicales parfaitement inutiles. Des rectifications du nez, de la poitrine, des muscles fessiers, de l'abdomen, non pas voulues par les épouses elles-mêmes, ce qui eût été leur droit, mais imposées par un mari ou un compagnon souffrant du complexe de pygmalion.

Nous ne sommes cependant pas parvenus au terme des sacrifices exigés de certaines femmes qui, par manque de confiance en elles-mêmes, se prêtent aux caprices de leurs partenaires. La sexualité offre en effet un large champ d'expériences pour de telles pratiques. Convaincues, en raison de leurs doutes, qu'elles manquent de « savoir-faire », de ne pas « être à la page » ou de se montrer ridiculement pudibondes, des épouses acceptent ainsi — avec beaucoup de réticences — de se livrer aux amours de groupe, au lesbianisme, à des pratiques sado-masochistes, quand ce n'est à une prostitution qui n'est pas vénale mais perverse. Dans l'immense majorité des cas, elles payent très lourdement — quand elles ne sont pas pleinement consentantes, bien entendu — ces douloureux témoignages d'amour pour leurs partenaires. Elles retirent en effet de telles expériences un sentiment de culpabilité et d'avilissement qui les perturbe profondément. Car, si elles se culpabilisent d'avoir participé à des ébats qui heurtent leur sens moral, elles s'interrogent avant tout sur les sentiments d'un partenaire qui les a contraintes de les accepter. Et c'est du reste cette question qui les fait le plus souffrir.

Le conjoint aime-t-il vraiment ? Tel un leitmotiv, ce doute revient sans cesse, quel que soit le type de mésentente conjugale abordé, quelle que soit la forme d'opposition de caractères.

De cette dernière, je n'ai décrit que trois aspects, les plus caractéristiques et les plus fréquents. Il en existe cependant bien d'autres. Mais ils ne représentent que des formes intermédiaires ou mixtes de ceux que nous avons étudiés. Les décrire nous aurait permis de découvrir certaines nuances, certains détails particuliers à tel ou tel cas, mais ne nous aurait fourni aucun élément supplémentaire sur le mécanisme du malentendu conjugal, qui demeure toujours identique à lui-même.

Avant de clore ce chapitre consacré aux causes du malentendu, il nous reste toutefois à examiner un point qui prête souvent à confusion : les mésententes sexuelles.

LES MESENTENTES SEXUELLES.

Le malentendu conjugal commence toujours par un malaise inapparent, j'insiste encore une fois sur ce fait, essentiel à mes yeux. Il existe cependant des cas où le différend entre les conjoints semble porter uniquement sur une mésentente purement sexuelle : nombre et fréquence des rapports, refus de certaines pratiques telles que fellation, cunilingus, sodomie... A écouter le partenaire insatisfait — ou même le couple — sa vie conjugale se révélerait une parfaite réussite en l'absence de ce « petit obstacle ». Cela reste à vérifier.

Car une question se pose : si le malentendu est uniquement d'ordre sexuel, comment se fait-il que le couple ne puisse le résoudre ou l'éliminer grâce à ce qu'il prétend être sa parfaite entente ? Le fond du problème ne serait-il pas, en réalité, dans la manière selon laquelle la difficulté est abordée ? Pour être plus précis, l'obstacle sexuel ne résulte-t-il pas d'une incompréhension affective entre les conjoints, et non d'une simple inadaptation de leurs désirs physiques ?

Au demeurant, il est vrai que, en raison de leur éducation, certains êtres sont rebutés par des actes qui leur paraissent sales ou répugnants. Cela se vérifie plus fréquemment chez la femme que chez l'homme. Et il est du reste de règle, en sexologie, de ne jamais contraindre un partenaire à une pratique qui heurte sa sensibilité. Si cette règle doit toujours être scrupuleusement respectée, l'essentiel du problème ne se trouve toutefois pas là.

Au cours de nombreux entretiens avec des femmes confrontées à ce genre de difficultés, j'ai acquis la conviction qu'elles ne jugeaient pas tant une pratique sexuelle en elle-même, que par rapport au sens qu'elle prenait dans le cadre général de leurs relations conjugales. Ainsi, par exemple, si la fellation rebute certaines partenaires féminines, ELLE LEUR REPUGNE D'AUTANT PLUS SI ELLE FAIT L'OBJET D'UN CONFLIT ENTRE LES CONJOINTS. Pourquoi ? Parce qu'elle représente une menace pour l'équilibre sentimental du couple. On le voit, l'acte purement physique a été transposé au plan affectif.

Interrogées sur les raisons qui leur font juger rebutante la fellation, ces mêmes femmes répondent qu'elles la trouve dévalorisante ou humiliante. Que cette pratique puisse être pour elles une source de plaisir ne leur vient pas à l'esprit. Non par manque d'imagination ou de sensualité, mais tout simplement parce qu'elles considèrent uniquement la fellation comme un « service » rendu à leur partenaire, qui en serait le seul bénéficiaire. Et c'est précisément pour cela qu'elles se sentent dévalorisées ou humiliées par un acte qui non seulement leur paraît ne pas les concerner, mais qui, en outre, les réduit une fois de plus au rang d'objet sexuel.

La mésentente sexuelle a donc pour origine une anomalie des relations du couple. Que les conjoints évitent soigneusement d'en parler ou l'abordent d'une manière trop technique qui fait de l'épouse une « anormale », la difficulté sexuelle, quelle qu'elle soit, traduit en effet un défaut de communication et de compréhension entre les partenaires. On peut même parler de malentendu, quand l'épouse ressent certaines pratiques comme autant d'humiliations. Cela prouve pour le moins que le couple ne fait pas de sa sexualité une source de plaisirs également partagés, et, au surplus, que la relation conjugale se trouve déséquilibrée à l'avantage du mari. Car si sa compagne ne voit pas en lui le partenaire de jeux érotiques au cours desquels chacun réalise ses désirs et prend du plaisir, mais un conjoint qu'elle a pour obligation de satisfaire, c'est qu'il existe un malentendu sur la nature même des relations quotidiennes du couple.

La mésentente sexuelle n'est donc jamais un symptôme isolé et ne se résume pas à une simple question d'inadaptation des besoins physiques des deux partenaires. Pour ce qui me concerne, je l'ai toujours vue précédée par un ensemble de petites incompréhensions, de méprises sentimentales qui avaient favorisé puis amplifié la difficulté sexuelle.

En revanche, je n'ai jamais observé de mésentente sexuelle qui résiste ou, du moins, ne cède très nettement à un effort de compréhension et de tendresse réciproques des deux conjoints. Même dans les cas où le refus de certaines pratiques provenait d'éducations particulièrement répressives, la patience, la douceur, la volonté rassurante d'aider et d'expliquer manifestées par le partenaire ont toujours donné d'excellents résultats.

Comprendre, prouver son amour, voilà les deux idées-forces que nous allons retrouver dans le chapitre consacré aux solutions du malentendu conjugal.

LES SOLUTIONS

CHANGER LES COMPORTEMENTS

Né d'une série de méprises issues de comportements inconscients, le malentendu conjugal ne repose sur aucune raison vraiment sérieuse. Par là même, il demeure toujours accessible à une solution qui permettra de dissiper les méfaits des apparences. Mieux, il peut être évité, épargnant ainsi aux couples des souffrances bien inutiles. Pour parvenir à ce double but, deux conditions se révèlent indispensables.

Il est évidemment nécessaire de connaître le mécanisme du malentendu conjugal et les différentes formes qu'il adopte. Ainsi chaque conjoint pourra prendre conscience de son propre comportement et, dans l'éventualité où ils se manifesteraient, déceler les signes du malaise initial. J'espère que ce petit livre aura apporté, avec suffisamment de clarté, l'information indispensable.

Deuxième condition tout aussi nécessaire, le couple doit se concerter, quel que soit le stade atteint par son malentendu. Il devrait toujours le faire du reste. Dans l'immense majorité des cas, nous l'avons vu, les premières difficultés séparent les deux conjoints par un mur de silence ou d'agressivité, phénomène qui aggrave le malentendu, puisqu'il laisse le champ libre aux suppositions les plus pessimistes. C'est là un piège redoutable qu'il faut éviter à tout prix, et le plus tôt possible.

Cette indispensable concertation se révèlera d'autant plus facile, si les deux partenaires admettent qu'ils sont victimes d'un enchaînement de circonstances malheureuses, au lieu de se déchirer, comme ils le font trop souvent, en se rejetant mutuellement une responsabilité qui n'est qu'un leurre agité par de trompeuses apparences. La crainte de paraître coupable s'oppose fréquemment à une franche et claire explication. Beaucoup trop de conjoints, en effet, confondent involontairement le fait d'apporter des éclaircissements sur leur conduite avec une justification penaude et embarrassé. Ils redoutent de devoir rendre des comptes, comme un enfant pris en faute ou comme un suspect. Or là n'est pas le problème. L'explication dissipe les malentendus, c'est tout. Il n'y a pas de coupable, ne l'oublions jamais.

Autre obstacle à la concertation : le refus par trop fréquent d'admettre le point de vue du partenaire ou, du moins, d'accepter de le prendre en considération, ne serait-ce qu'un instant. Il apparaît donc important de réaliser qu'il n'y a pas UNE vérité, mais DES visions de la réalité. Visions, tout aussi respectables les unes que les autres, qui dépendent de la sensibilité, de l'éducation et des préoccupations de chacun. Comme il n'y a pas UNE façon d'agir, unique garante du succès et de l'efficacité, mais DIFFERENTES manières d'aborder l'existence selon ses goûts et ses aptitudes personnelles. Nul n'a jamais raison en tous points et chacun d'entre nous demeure faillible.

Dans de telles conditions, l'équilibre d'un couple ne

saurait dépendre de la soumission de l'un des conjoints à la loi de son partenaire, mais d'un compromis entre leurs aspirations respectives.

A cette vérité de base s'ajoute un fait essentiel : l'homme et la femme sont dotés de psychologies différentes. Leurs visions des choses et du monde se complètent au lieu de s'opposer. Additionnées, elles enrichissent la vie affective et émotionnelle des deux partenaires. Une symphonie n'est pas écrite pour un seul instrument, sa beauté résulte de la juxtaposition mélodieuse de différentes sonorités.

C'est également une harmonie qu'il faut attendre du dialogue conjugal. En cas de difficultés, le couple doit apprendre à se confier, avec amour et tendresse, ses impressions, ses sentiments et ses malaises, même s'ils sont vagues et confus. Non pas, je le répète, dans une atmosphère de règlements de compte, mais avec la volonté délibérée de s'expliquer et de comprendre. Cette mutuelle confiance, qui ne peut que resserrer les liens qui unissent les partenaires, permettra toujours de découvrir le ou les détails perturbateurs. Il restera alors à passer aux remèdes.

CHANGER LES COMPORTEMENTS.

Fruit vénéneux des apparences, le malentendu conjugal trouve son origine première dans une interprétation erronée du comportement adopté INVOLONTAIREMENT par l'un des partenaires. La méprise provoquant la méprise, chaque conjoint doute de l'amour dont il fait l'objet. Là est le fond du problème, là est le fond du malentendu. Toute solution du conflit conjugal passe donc forcément par un changement des comportements. Mais quels changements ?

Dans tous les cas de couples conflictuels que nous avons étudiés, nous avons vu le partenaire féminin se plaindre d'un manque d'attention, de tendresse et de compréhension de la part de son compagnon. L'absence, physique ou morale, de celui-ci était également souvent évoquée. Il convient donc à l'homme de faire un effort de PRESENCE et d'ATTENTION en faveur de sa compagne.

Pourquoi solliciter uniquement le mari ? Pourquoi lui demander de faire la plus grande partie du chemin ? Serait-on en droit de m'interroger. Mes conseils témoigneraient-ils d'un parti pris, d'un préjugé de ma part en faveur de la femme ? En aucune manière. Convaincu de l'absence de coupable, je n'ai nullement l'intention d'alourdir la charge du partenaire masculin au bénéfice de sa compagne. Ma position répond tout simplement à la logique la plus élémentaire.

En raison des habitudes et de la mentalité ambiante, la femme, nous l'avons vu, occupe dans le couple une position de dépendance affective. C'est un fait qui contredit le droit, mais cela n'en demeure pas moins un fait. Première victime — le plus souvent — du malentendu conjugal, la femme se sent confusément coupable et dévalorisée, impression qui lui interdit toute initiative conciliatrice. Repliée sur elle-même et paralysée par ses doutes, elle ATTEND un geste rassurant de son partenaire. L'initiative ne peut donc venir que de celui-ci.

En revanche, il appartient à l'épouse de surmonter son manque de confiance en soi qui n'a aucune raison d'être. Comme il lui appartient de surmonter son ressentiment. Ce sera pour elle la seule façon de ne pas assimiler les avances de paix de son partenaire à des manœuvres hypocrites ou intéressées, mais de voir en elles un réel désir de réconciliation.

Pour me résumer, je dirais que les deux conjoints doivent faire, EN MEME TEMPS, des efforts l'un vers l'autre. Une telle coordination ne se révèle possible que dans la mesure où elle est le résultat d'une concertation, dont le rôle essentiel se trouve ainsi confirmé.

Donc, s'il revient à l'homme de faire le geste que sa partenaire doit savoir accepter et reconnaître comme un témoignage de l'amour qu'il lui porte, il reste à déterminer la nature exacte de cette marque de tendresse.

Car, pour chacun d'entre nous, l'attention et l'affection prennent des sens différents. Telle femme verra une preuve d'amour dans le fait que son mari participe à la vie du ménage, lui relate sa journée quand elle prépare le repas, s'intéresse aux occupations qui ont meublé son temps... Une autre se sentira aimée si son compagnon la fait participer à sa vie professionnelle, à ses loisirs personnels, à ses préoccupations et à ses joies...

Certaines femmes attachent plus de prix à la tendresse, à la gentillesse et à la délicatesse. Sensibles, elles apprécient la sensibilité. D'autres souhaitent une étroite complicité de tous les instants avec leur compagnon. D'autres encore désirent son estime, son admiration et sa considération. Certaines enfin, comme nous le verrons plus loin, assimilent étroitement amour et sexualité, au point de faire de cette dernière la marque essentielle sinon exclusive de l'amour.

L'homme se montre tout aussi éclectique dans ses préférences. Certains voient l'amour de leur compagne dans le soin que celle-ci apporte dans l'aménagement de leur intérieur, le transformant en havre de paix où ils peuvent se détendre et se reposer, dans les petits plats qu'elle leur prépare, dans la tendresse dont elle les entoure... D'autres dans l'admiration qu'elle leur manifeste. L'homme aime être admiré et considéré pour sa force et sa volonté, et témoigne toute son affection à celles qui lui apportent de telles preuves d'amour. D'autres attendent de leur femme qu'elle soit leur partenaire dans la vie. D'autres encore qu'elle se fasse belle et séduisante pour eux... La sexualité joue également pour l'homme un grand rôle. Il apprécie particulièrement les initiatives de sa compagne en cette matière, elle doit savoir le solliciter et lui montrer qu'elle le désire.

Caractères différents, préférences différentes. Pour parvenir au bonheur conjugal, les conjoints doivent donc se dire ce qu'ils attendent mutuellement l'un de l'autre.

Grâce à une meilleure connaissance des mécanismes du malentendu conjugal, à une concertation sans réticence qui témoigne d'une bonne volonté et d'un effort de compréhension réciproques, le couple se trouve donc en mesure de résoudre par lui-même ses problèmes et d'apporter aux deux partenaires qui le forment les éléments nécessaires à l'idée qu'ils se font du bonheur.

Une fois réglées ses difficultés, ce même couple doit non seulement éviter de retomber dans le piège des apparences mais également assurer son plein épanouissement, qui devra résister à l'épreuve du temps. En cela, il rejoint les préoccupations de tous les êtres qui ont fait le choix d'unir leurs existences et attendent de leur union un bonheur durable.

Si la solution du malentendu passe par un changement de comportement de la part des conjoints, la réussite d'une vie à deux repose sur le même principe. La recette de la paix retrouvée est également celle de la plénitude conjugale.

Toutefois, il me paraît essentiel de préciser que cette indispensable adaptation du comportement individuel aux exigences de la vie conjugale concerne, tout à la fois et avec une importance égale, les gestes de la vie quotidienne et le dialogue permanent qui doit s'instaurer entre les deux partenaires. C'est du reste ce que nous allons vérifier en étudiant les rapports entre l'amour, les attitudes et la parole.

L'AMOUR ET LES ATTITUDES.

L'amour se PROUVE, par des gestes et des paroles. Sinon, comment deviner les sentiments dont on fait l'objet ? Les amoureux savent cela d'instinct. Les cadeaux, les compliments qu'ils se font, les diverses marques d'intérêt qu'il se manifestent, leurs efforts pour se plaire et se séduire, sont autant de MARQUES de l'amour qu'ils se portent.

Pourtant, une fois unis, la plupart d'entre eux semblent oublier les comportements qui, hier encore, faisaient leur bonheur. Or vivre ensemble ne constitue pas en soi une preuve d'amour éternelle, dont le couple devrait se contenter une fois pour toute durant son existence. Le fait de rentrer régulièrement au domicile conjugal, de se conduire sagement en mari et en femme ne représente en rien un témoignage d'affection et de tendresse, mais signifie seulement que les conjoints respectent le conformisme conjugal. Pour conserver toute sa vigueur à l'amour, il faut le cultiver. Et se comporter dans la vie conjugale comme l'on se comportait au temps de l'idylle. C'est-à-dire qu'il convient de demeurer vigilants et attentifs l'un à l'égard de l'autre.

D'ailleurs, il n'est rien de plus facile que de témoigner sa tendresse. Il suffit, par exemple, d'une pression furtive de la main, d'un regard complice, d'un sourire, d'une simple caresse, de se blottir un instant l'un contre l'autre... Pour résumer ma pensée en une seule formule, je dirai qu'il ne faut jamais se considérer et se traiter en époux assurés de leurs droits acquis, mais en partenaires dont les liens seraient toujours à renouveler.

A certains, une telle attitude paraîtra ridicule ou puérile. C'est là se tromper lourdement sur son compte. Car elle représente en fait la plus sûre garantie de l'amour. Voir en elle la manifestation d'un sentimentalisme excessif, prouve que l'on est passé malgré soi du statut d'amant à celui de conjoint déjà prisonnier de ses habitudes, que la passion s'est dégradée en rituel morne et ennuyeux.

Or cette altération insidieuse comporte une double menace pour le couple. En premier lieu, elle le conduit inéluctablement à la routine conjugale. D'autre part, elle s'opposera ultérieurement au rétablissement de relations sentimentales harmonieuses et épanouies. C'est donc dès les premiers temps de sa vie en commun que le couple doit veiller au maintien durable des témoignages d'amour qui ont présidé à sa formation. Or il ne peut parvenir à un tel résultat par le seul moyen d'un effort de volonté, qui serait aussi contraignant qu'artificiel et tomberait bientôt lui-même dans le piège de la routine. En revanche, une ambiance de tension amoureuse provoque chez les deux partenaires un comportement comparable à celui adopté au cours de l'idylle. Tout le problème est donc de créer et de maintenir cette ambiance au sein du couple. Nous allons voir comment.

Si l'amour se prouve — et j'insiste sur cette idée de témoignages concrets — par de petites attentions renouvelées au fil des jours, il est fait avant tout d'une PRESENCE réciproque. Nous avons vu combien sont nombreuses les femmes qui se plaignent de l'absence morale de leur compagnon. Sans jamais déserter le domicile conjugal, ces maris ne s'en comportent pas moins comme des célibataires, ignorant ou paraissant ignorer l'existence de leur compagne. Mais les hommes font aux femmes des griefs comparables. Ils regrettent et mettent en cause leur manque de disponibilité à leur égard et la priorité qu'elles accordent à la vie quotidienne du ménage aux dépens des relations proprement conjugales. En définitive, hommes et femmes s'adressent le même reproche : celui de ne pas se prêter suffisamment d'ATTENTION.

Il ne s'agit plus ici des petites attentions dont je parlais plus haut, mais d'une attitude plus générale de sollicitude et d'intérêt mutuels que les partenaires doivent adopter l'un envers l'autre. Cette attention réciproque, tendre et bienveillante, ne crée pas par elle-même l'ambiance amoureuse, mais elle favorise son éclosion en renouvelant sans cesse le regard que se portent les conjoints. En se redécouvrant, ils trouvent de nouvelles raisons de s'aimer. Nous verrons bientôt du reste que le dialogue joue le même rôle.

Et être attentif, pour un homme, c'est vivre AVEC

sa compagne, au plein sens du terme, c'est-à-dire celui d'une communication intime et permanente qui fait que deux êtres finissent par n'en faire qu'un seul. C'est participer à son existence de femme, dans les moments heureux comme dans les moments difficiles.

Quelques exemples illustreront mon propos. En aidant sa compagne dans l'exécution de ses tâches ménagères, en l'accompagnant quand elle fait ses achats, en lui tenant compagnie si elle est souffrante, en s'inquiétant de ses soucis ou de ses sujets de réflexion... un homme lui apporte certes un concours matériel ou moral, mais surtout il lui manifeste toute l'importance qu'il attache à sa présence à ses côtés, donc tout l'amour qu'il éprouve pour elle.

Mais l'homme, lui aussi, a besoin d'attention et de présence. Celles que lui apportent un certain regard de sa compagne, le soin qu'elle a pris de son apparence physique pour l'accueillir, l'intérêt qu'elle porte à ses projets et à son travail, les gestes de tendresse qu'elle lui prodigue...

Ce ne sont là que quelques exemples qui me reviennent à l'esprit pour les avoir souvent entendus formulés par mes patients. Il existe cependant bien d'autres manières de marquer son attention. Elles varient d'un cas à l'autre, et chaque conjoint a de la tendresse une idée précise liée à sa propre sensibilité. Ainsi se trouve confirmée la nécessité d'une concertation qui permet aux époux de se prouver mutuellement leur amour et de créer le climat de chaleureuse intimité indispensable à son épanouissement et à sa permanence.

Si l'amour se renouvelle sans cesse grâce à la tendresse que se témoignent les conjoints, il doit également se réinventer au fil des jours. Car son pire ennemi, la source du malentendu, n'est autre que la routine, morne et fastidieuse répétition d'habitudes invariables.

Comme certains entrent dans les Ordres et respectent une fois pour toute un rituel quotidien pointilleux, trop de couples, une fois unis, s'enferment en toute innocence dans le statut anesthésiant du contrat conjugal. Les rôles distribués, les mêmes acteurs jouent indéfiniment une même pièce dont le sens véritable finit par leur échapper. Et les gestes inlassablement répétés, les paroles mille fois prononcées, n'ont plus pour unique raison que la nécessité d'assurer la représentation.

Et la routine se montre redoutablement insidieuse. perceptiblement, sans même s'en rendre compte, les conjoints adoptent, chacun pour sa part, des gestes et des attitudes immuables. Chaque jour ressemble au précédent et préfigure le lendemain. Le mari rentre de son travail, se met à l'aise, se sert un apéritif, puis s'installe devant la télévision ou ouvre son journal. Sa femme s'occupe dans la cuisine, prépare le repas, dresse la table. Prisonniers de leurs habitudes, ils ne se parlent pas. Tout est en ordre, chacun occupe sa onction définie une fois pour toute.

Puis toujours à heures fixes, le couple se rencontre au cours du repas partagé avec les présentateurs des *Jeux de Vingt Heures* et les héros du film télévisé qui leur succède. Repas fait de silence et d'absence camouflés par le rituel télévisé. Repas qui ne réunit que deux solitudes. Puis le lit. Une étreinte physique écourtée, car il faut se lever tôt et que l'on est fatigué. Et les jours passent, sinistrement identiques à eux-mêmes, seulement entrecoupés de week-ends invariablement consacrés aux repas chez les beaux-parents ou aux kilomètres parcourus sans but véritable sur une autoroute encombrée par les milliers d'automobilistes victimes du même ennui.

Selon les milieux sociaux, les habitudes sont différentes, mais elles n'en demeurent pas moins des habitudes figées et anesthésiantes. Programmés, conditionnés, les couples n'ont plus rien à se dire, plus d'émotions à vivre, plus de sentiments à se manifester. Ils sont trop occupés à répéter sans fin des gestes devenus des servitudes.

Pourtant la vie à deux n'impose aucune règle de vie particulière sinon celle que le couple veut bien se donner, ni la soumission à des horaires ou à des habitudes immuables. Certes, il existe des contraintes inévitables, telles celles qu'impliquent l'exercice d'une profession ou la scolarité des enfants, par exemple. Mais, sorti de ce cadre forcément rigide, le couple a tout loisir d'organiser son existence au gré de sa fantaisie et de ses désirs. Exceptés les êtres pour lesquels le respect d'habitudes fixes correspond à un besoin essentiel — ce qui est leur droit le plus strict — la liberté demeure donc totale. Elle le demeure à la condition de ne pas croire qu'il est convenable pour un couple de mener une existence « raisonnable » et « respectable ». Elle le demeure, si l'on ne refuse pas l'imagination, l'imprévu, les petites folies et l'humour qui donnent à la vie tout son piquant.

Le lien conjugal n'interdit en rien un dîner impromptu dans une pizzeria ou un petit restaurant, une escapade imprévue au bord de la Manche ou de la Méditerranée, d'organiser de petites fêtes d'amoureux qui n'auront pas pour sempiternels prétextes les anniversaires, Noël et la Saint-Sylvestre.

Dans tous les domaines, trop de couples sont victimes du « cela ne se fait pas ». Vivre à deux, ce n'est pas renoncer aux plaisirs nés d'envies soudaines. Il n'y a pas de façons de s'habiller, de se coiffer, de se comporter et de se divertir auxquelles les couples seraient absolument tenus de se conformer par peur de l'excentricité. A force de conformisme, on devient transparent et l'on ne conserve qu'un semblant d'existence. En revanche, toute nouveauté est une découverte, car nous posons sur l'événement un regard neuf. L'épouse qui change de coiffure, de maquillage, de style de vêtements, qui se rend séduisante en se faisant provocante, qui initie son partenaire à son univers secret enrichi au fil de ses expériences, apparaît chaque jour une femme différente, donc une femme à reconquérir. Il en est de même pour l'homme. Lui aussi doit savoir s'extraire de sa monotonie quotidienne et surprendre sa compagne par des initiatives inspirées par le seul désir d'un plus grand plaisir mutuel.

Mais accepter l'imagination et l'humour, c'est aussi retrouver son esprit d'amants passionnés. Et, par exemple, se donner rendez-vous dans un hôtel discret, tout simplement, pour le plaisir de revivre l'émotion impatiente du temps de l'idylle. Ou s'accorder la joie d'une longue promenade en forêt, la main dans la main...

Ce ne sont là que des exemples. Leur nature exacte importe peu. L'essentiel pour le couple est de se refuser à la fatalité des habitudes, et de conserver dans sa vie conjugale ce zeste de fantaisie et de passion qui a donné tout leur éclat à ses premières amours.

On pourra me rétorquer que le temps qui passe émousse le désir de se livrer à ces jeux amoureux. Une telle objection pose le problème à l'envers et confond l'effet avec sa cause. Si les amants se métamorphosent en conjoints engoncés dans leurs habitudes au fil des mois et des années et perdent insensiblement tout comportement de séduction, c'est précisément en raison des effets d'une routine qui renvoie du partenaire une image dépourvue de surprise et dont les attraits semblent effacés par la monotonie d'attitudes mille fois répétées. Que ce même partenaire échappe à ce terne reflet de lui-même par le moyen d'un comportement imprévisible et que son amour ne semble pas un fait acquis définitivement au point de rendre parfaitement superflu tout effort de lui plaire, et il redeviendra alors un objet de désir et de conquête. Dès lors, l'amour sera sans cesse à réinventer.

L'AMOUR ET LA PAROLE.

Si le refus des habitudes permet de redécouvrir les émotions de la passion amoureuse, le dialogue entre époux ne contribue pas moins au renouvellement et à l'enrichissement des liens qui les unissent.

En premier lieu, nous avons vu le rôle essentiel qu'il joue dans le dénouement du malentendu conjugal. Lui seul permet de mettre un terme aux doutes et aux inquiétudes provoqués par des apparences trompeuses. Mais il contribue également à ce que l'on pourrait appeler une véritable renaissance du couple.

Que celui-ci ait été victime d'un malentendu ou qu'il se soit laissé prendre au piège de la routine, il croit n'avoir plus rien à se dire. Chaque conjoint est prisonnier de son rôle et n'échange plus avec son partenaire que des propos relatifs à la vie quotidienne du ménage. Or le fait de parler du montant des impôts, du prix du beurre ou des qualités de telle ou telle machine à laver, ne constitue qu'un échange de paroles anonymes qui isole chaque partenaire dans le silence de ses préoccupations et de ses émotions inavouées.

Certes, il est nécessaire de régler les questions pratiques. Mais le couple ne se résume pas à une communauté d'intérêts. Il se trouve formé de deux êtres de chair et de sang, animés par des sentiments divers souvent contradictoires, par des désirs qui se renouvellent et évoluent sans cesse, par des pensées dont la richesse prend les proportions d'un univers.

Si l'on se regarde en « mari » et « femme » et si l'on attend de chacun qu'il se comporte sagement comme tel, on passe forcément à côté de la véritable dimension de l'aventure conjugale.

Le dialogue est donc d'abord une découverte du partenaire. Refusant l'image stéréotypée que nous donnent de lui nos habitudes mentales et la monotonie quotidienne, il nous permet d'accéder à sa véritable personnalité. Dialoguer, c'est ainsi se confier et se raconter, dire sa vérité, qu'elle soit rose ou grise. Communiquer ses craintes, ses doutes, ses hésitations, mais aussi ses espoirs et ses projets. C'est présenter un reflet vivant de soi-même et non un modèle standard dont le conformisme rigide décourage tout désir de rapprochement.

S'il convient d'exposer sa réalité profonde, il s'avère tout aussi nécessaire de se mettre à l'écoute du partenaire. Ce conseil s'adresse tout spécialement aux hommes. La majorité d'entre eux ignorent ou négligent toute la dimension du fait féminin. En parlant avec leur compagne, ils auront la révélation d'un être sensible et intuitif, qui se trouve en mesure de les initier à des émotions dont ils ne soupçonnent même pas l'existence. En dépassant l'idée préconçue d'une partenaire qui ne serait qu'une gouvernante et une maîtresse installée à domicile, ils découvriront la FEMME, c'est-à-dire leur complément naturel. Femme jamais totalement révélée dont la conquête sera toujours à recommencer.

Si le dialogue évite la monotonie conjugale en donnant du partenaire une image sans cesse renouvelée, il constitue également un témoignage d'amour et de tendresse. Le silence, les propos impersonnels, nous l'avons vu, passent, le plus souvent à tort certes, mais passent néanmoins pour de l'indifférence. Ils contribuent pour beaucoup au développement du malentendu entre les conjoints. Or, parler à une personne, c'est lui manifester de l'intérêt. S'informer de ses idées, de ses soucis, de son bien-être, c'est marquer toute l'affection qu'on lui porte. Attention qui se révèle d'autant plus indispensable quand ladite personne se trouve être son propre partenaire. Car l'amour ne peut durer que s'il est échange et don réciproque. Assuré, par un dialogue permanent, de la tendresse qu'on a pour lui, ce même partenaire ne craindra plus alors d'exprimer ses propres sentiments et l'amour qu'il éprouve lui-même. De la sorte, le dialogue devient l'une des raisons essentielles du bonheur du couple. Bonheur qu'il accroît sans cesse comme, en sens inverse, le malentendu conjugal se nourrissait de ses effets.

Puisque la recette paraît si simple, pourra-t-on m'objecter, pourquoi les couples ne l'emploient-ils pas plus souvent ? Parce qu'ils n'ont rien à se dire ? Non, en aucune manière. La véritable raison se révèle infiniment plus simple. Figés, dès le début de leur union, dans leurs rôles respectifs de mari et de femme sous l'effet de la routine, les conjoints perdent très vite l'habitude de se confier l'un à l'autre. Ce défaut de communication, qui porte malheureusement sur les questions les plus importantes de la vie conjugale, ne cesse ensuite de s'aggraver. Or il constitue précisément le principal obstacle au dialogue. On ne se parle plus, parce qu'on n'ose plus le faire. Par pudeur et par crainte de ne pas être entendu.

Les couples doivent donc absolument éviter ce piège en maintenant la complicité verbale du temps de l'idylle. Mais si cette sage précaution n'a pas été prise, que convient-il de faire ?

En raison de la différence de sensibilité qui existe entre l'homme et la femme, il convient au partenaire masculin de reprendre l'initiative du dialogue. Nous l'avons vu, l'épouse est presque toujours la première victime du doute. Elle s'inquiète et s'interroge sur les sentiments de son compagnon. C'est donc bien à ce dernier qu'il revient de la rassurer et de lui prouver par la chaleur de ses propos que son amour pour elle demeure inchangé.

Témoignage d'amour et de tendresse, le dialogue représente aussi la voie du complet épanouissement conjugal.

J'ai déjà eu l'occasion de dire, en effet, combien chaque être humain se fait une idée différente du bonheur et des moyens d'y parvenir. Les marques d'affection qu'il attend, les caresses érotiques qu'il souhaite, lui sont propres et dépendent directement de sa sensibilité et de ses goûts. Et ce n'est que dans la mesure où ses désirs seront satisfaits qu'il découvrira équilibre et plénitude. En revanche, dans le même ordre d'idée, certaines attitudes de son partenaire, tant dans le domaine de la vie quotidienne que dans celui de leurs rapports sexuels, sont susceptibles de le troubler, voire de le choquer. Que ses préoccupations portent sur des désirs non réalisés ou sur des objets de déplaisir, il doit donc pouvoir se confier sans aucune réticence. Son partenaire devra évidemment bénéficier de la même liberté d'expression.

Seul un dialogue permanent exempt de tout préjugé se révèle en mesure de réaliser l'intime complicité des deux partenaires. Il leur permet d'accorder pleinement leurs comportements, de faire les gestes et de dire les mots que chacun d'entre eux espère, parce qu'il les juge nécessaires à son épanouissement. Or un couple ne peut construire son bonheur que sur celui des deux conjoints qui le forment. Si l'un de ces dernier demeure insatisfait pour n'avoir osé exprimer ses désirs, la voie du malentendu conjugal se trouve ouverte. Le temps qui passe et les frustrations accumulées complèteront l'ouvrage.

Un tel dialogue ne saurait donc laisser dans l'ombre aucun sujet, aucun problème, même si a priori ils paraissent délicats. En amour, tout est permis, à la condition de ne heurter aucun des deux partenaires. La pudeur ne porte pas sur un acte en lui-même, mais sur la crainte d'en exprimer le désir, c'est-à-dire sur la peur de provoquer une réaction de rejet de la part du conjoint. Le couple doit donc être assuré de sa mutuelle COMPREHENSION et de sa TOLERANCE réciproque.

Ce point se révèle particulièrement important dans

le domaine sexuel. Tous les malentendus de cet ordre que j'ai eu l'occasion d'observer étaient nés, en fait, d'une difficulté de communication. Ce n'était pas telle ou telle pratique qui se trouvait en cause — par exemple, la sodomie ou la fellation — mais le malaise créé dans le couple par l'impossibilité d'aborder franchement le problème et, par là même, de lui donner une solution. Car le silence gêné ou réprobateur des deux partenaires les figeait, l'un dans son refus, l'autre dans sa frustration chargée de ressentiment. Dans un climat de tendresse créé par un dialogue confiant et apaisant, l'acte interdit se serait trouvé progressivement dédramatisé. Puis, le plus souvent, aurait finalement été accepté comme un témoignage d'amour supplémentaire. Nous verrons bientôt du reste toute l'importance d'une relation d'étroite confiance entre conjoints dans le traitement des troubles sexuels de l'homme et de la femme.

Communication permanente qui permet au couple de se situer à tout instant et de renouveler sans cesse son amour, le dialogue représente également un lien. Un lien puissant qui fait des conjoints deux compagnons étroitement associés pour aborder l'existence. Solidaires, ils partageront les mêmes joies. Solidaires, ils affronteront ensemble les difficultés de la vie. Et c'est précisément cette solidarité qui leur permettra de surmonter les obstacles rencontrés et de trouver dans leurs communes victoires de nouvelles raisons de s'aimer. Ce sera notamment le cas, comme nous allons le voir, quand l'un des partenaires souffre de troubles sexuels.

AMOUR ET SEXUALITÉ.

Selon une expression populaire, les amoureux se réconcilient sur l'oreiller. Ainsi n'existerait-il pas de querelle que la sexualité ne saurait apaiser. Voyons ce qu'il en est exactement.

Certains couples se disputent comme certains hommes sifflotent en se rasant ou certaines femmes chantonnent en s'affairant à leur toilette. Sans y prêter garde et sans y attacher de l'importance. Disputes sans lendemain et dépourvues de conséquences qui n'empêchent pas les époux de renouer promptement des relations normales hors de leur lit et dans celui-ci.

Pour certains êtres, comme nous l'avons vu, la sexualité apparaît la PREUVE ESSENTIELLE de l'amour. Ils ne se sentent aimés que s'ils sont aimés physiquement. Pour eux, la sexualité dissipe évidemment la plupart des nuages conjugaux, dont elle est du reste le plus souvent la source.

Dans un couple où l'un des conjoints, ou les deux, présente cette particularité psychologique, l'existence ou l'apparition chez l'un d'entre eux d'un trouble sexuel — frigidité, éjaculation précoce, impuissance — provoque en revanche de sérieuses difficultés. Plus que dans tout autre cas, l'absence ou la pauvreté des rapports sexuels est attribuée à une perte de sentiment de la part du partenaire défaillant ou interprétée comme une preuve de sa mauvaise volonté. Il ne s'agit évidemment que d'une apparence, mais celle-ci a immédiatement des conséquences fâcheuses sur l'autre conjoint. Frustré sexuellement et affectivement, il revendique âprement puis se montre agressif, attitude qui complique le problème du couple au lieu de le résoudre. Les deux conjoints se retrouvent ainsi dans la pénible situation où nous avons laissé les couples parvenus au stade des troubles sexuels du malentendu conjugal. Troubles dont nous allons maintenant aborder la solution.

Je rappelle en quelques mots la situation telle qu'elle se présente. Le conjoint défaillant, qu'il s'agisse du mari ou de l'épouse, doute tellement de ses capacités sexuelles qu'il se croit « anormal » et redoute, sinon fuit, des rapports selon lui inévitablement voués à l'échec. Son partenaire éprouve à son égard du ressentiment et, même, de l'agressivité, car il se remet lui-même en question, puisqu'il se croit responsable de l'absence de désir chez son compagnon ou sa compagne. Le malentendu engendre le malentendu, et les époux aggravent involontairement leurs difficultés sexuelles.

Or, fait essentiel qu'il faut toujours avoir présent à l'esprit, ce malentendu est précisément LA CAUSE PRINCIPALE de l'entretien et de la prolongation du trouble sexuel. Cela signifie que le problème est plus psychologique que technique. D'une certaine manière, les conjoints ont peur d'aborder une activité sexuelle dont ils n'attendent plus du plaisir, mais la souffrance morale que provoque l'échec. Dans ces conditions, on ne saurait s'étonner que l'un d'entre eux, au moins, redoute de s'aventurer dans des prouesses techniques dont il ne se croit pas capable ou qui le rebutent. Mais, parvenu à ce point, il faut distinguer le cas de la femme et celui de l'homme.

L'épouse, nous l'avons vu, ne tire plus aucun plaisir de ses relations sexuelles et ressent même à leur égard un vague sentiment de dégoût. Car son rôle lui semble se résumer à satisfaire les seuls besoins physiques de son compagnon. Elle se croit simple moyen et non être aimé. Si son partenaire veut l'aider à résoudre ses difficultés — et par là même résoudre celles du couple — il doit donc dissiper le malentendu en la rassurant sur les sentiments qu'il lui porte. Au lieu de l'agresser en la traitant de femme « frigide » et « d'anormale », il lui faut adopter à son égard un comportement de tendresse et d'affection, qui sera la PREUVE de son amour. Et cela, non seulement au moment des rapports sexuels — la tendresse paraîtrait alors bassement intéressée — mais également dans les relations les plus quotidiennes et les plus anodines du couple.

La solution qui consiste à recourir EXCLUSIVEMENT aux techniques sexuelles va à l'encontre de l'attitude souhaitée, et donne des résultats contraires à ceux attendus. En l'absence de MARQUES d'amour, certaines positions et certaines caresses prennent en effet l'apparence de simples jeux érotiques auxquels on se livre pour stimuler et pimenter un plaisir égoïste ou par goût des prouesses. La femme désire être aimée sentimentalement et physiquement et non se voir transformée en champ de manœuvre pour des expériences sexuelles. Employée seule, la technique sexuelle accentue ainsi sa conviction de ne représenter qu'un objet sexuel pour son compagnon, et accroît sa méfiance sinon sa répulsion envers la sexualité en général.

En revanche, cette même technique se révèle particulièrement efficace — pour les couples qui désirent mutuellement en faire l'expérience — quand elle prend le sens d'un témoignage d'amour. Quand le plaisir donné se transforme en plaisir offert, pour le bonheur et l'épanouissement total de celle qui l'éprouve.

Cependant, dans les cas de frigidité ou d'indifférence sexuelle du partenaire féminin, la nécessaire tendresse qui doit accompagner les caresses érotiques ne produit pas des effets immédiats. J'insiste particulièrement sur ce point. L'épouse demeure troublée, sinon choquée, par ses dernières expériences assimilées à des échecs. Il faut donc la décrisper et la détendre, progressivement, avec beaucoup de douceur. Le temps et la patience se révèlent des facteurs essentiels de réussite. Si cela s'avère nécessaire, les premiers rapprochements physiques se limiteront à de tendres et sages enlacements, à quelques caresses qui, éventuellement, éviteront les organes sexuels et les seins, à des baisers plus d'amoureux que d'amants. N'oublions pas que le partenaire masculin doit avant tout prouver son amour, un amour désintéressé. Dans un deuxième temps, les caresses se feront plus précises et aborderont délicatement les zones génitales. L'homme, en toute circonstance, se laissera guider par les réactions de sa compagne. Une réticence, un signe de tension de la part de cette dernière constituent le signe qu'un stade à ne pas dépasser se trouve momentanément atteint. Ce seuil doit être respecté. Il n'est nullement le résultat d'un échec ou d'une fausse manœuvre, mais prouve seulement qu'il faut encore user de patience et d'affection. Ces efforts, qui sont susceptibles de s'étaler sur plusieurs jours ou plusieurs semaines, seront toujours couronnés de succès. Toujours plus détendue, rassurée, l'épouse prendra des initiatives, sollicitera elle-même de nouvelles caresses — il faut lui demander celles qu'elle désire. Puis viendra le moment où, de son propre mouvement, elle proposera un rapport complet.

Un orgasme ne consacrera pas forcément cette

première relation sexuelle, ni celles qui lui succéderont immédiatement. Là non plus, il ne faut pas voir dans l'absence de jouissance de l'épouse un échec pour les deux partenaires. Les couples doivent se débarrasser de la religion de l'orgasme. Celui-ci surviendra d'autant plus facilement s'il n'est pas recherché avec une obstination crispante, quand les conjoints se seront pleinement retrouvés. Une femme peut du reste éprouver un très vif plaisir au cours d'un rapport sexuel sans parvenir pour autant à la jouissance. Nous allons voir d'ailleurs que la patience et la compréhension mutuelle se révèlent tout aussi nécessaires dans le traitement des troubles sexuels de l'homme.

L'homme qui souffre d'éjaculation précoce ou d'impuissance est anxieux, puisqu'il doute de ses capacités. Anxiété que partage sa compagne, qui se croit responsable des difficultés de son partenaire — il ne mani feste plus son désir parce qu'elle n'est plus désirable ! Il y a donc double méprise. Il convient de la dissiper. Instruit des causes réelles des troubles sexuels masculins par la lecture des chapitres précédents, le couple se trouve en mesure d'adopter le comportement qui permettra de les résoudre.

La meilleure manière d'obtenir un résultat pleinement satisfaisant consiste à ne pas l'attendre. J'entends par là que les efforts sexuels impatients et inquiets auxquels se livre le partenaire masculin bloquent totalement les réflexes qui, chez lui, permettent l'érection et le contrôle de l'éjaculation. Pour me montrer encore plus précis, je dirais que plus il désirera une érection, moins elle aura de chance de se produire, et plus il voudra retarder son éjaculation, plus tôt celle-ci surviendra. La tension et la volonté se révèlent ainsi néfastes au but recherché. Un climat de détente et d'oubli de soi s'avère donc indispensable.

Or, il appartient aux DEUX CONJOINTS de créer un tel climat.

L'épouse doit s'abstenir de tout geste et de toute parole qui pourraient être interprétés comme autant de signes d'énervement, d'impatience ou de mépris de sa part. Son malheureux partenaire voit trop souvent en elle — à tort, du reste — un juge ou un examinateur intraitable, prêt à sanctionner toute défaillance. Lui, qui précisément a peur de ne pas la satisfaire, guette ses moindres réactions, se décourage et renonce s'il croit surprendre chez elle un signe de déception. Il attend de sa part compréhension et encouragement. C'est donc en se montrant douce et bienveillante qu'elle apaisera le mieux l'anxiété de son partenaire, et créera l'atmosphère de tendre complicité propice à leur mutuel épanouissement sexuel.

Le couple, et l'homme surtout, doivent cependant se convaincre qu'ils ne sont pas tenus à des résultats immédiats et spectaculaires. Plusieurs tentatives seront peut-être nécessaires, cela n'a pas d'importance. Il suffit simplement qu'elles soient l'occasion pour les deux conjoints de se prouver leur mutuel amour. Ils en profiteront pour échanger des caresses marquées de tendresse mais également d'érotisme. Dans un climat de confiance retrouvée, la montée du désir ainsi provoquée effacera progressivement les dernières traces du doute qui formait provisoirement obstacle à l'épanouissement sexuel du partenaire masculin. Un premier succès facilitera le second qui, lui-même, rendra encore plus évident le troisième... Rassuré sur ses capacités sexuelles, l'époux oubliera alors ses difficultés passagères qui n'avaient pour origine que son manque de confiance en soi.

Dans le traitement des troubles sexuels du couple, la tendresse et l'affection ne remplacent pas la sexualité, elles la PREPARENT et L'ACCOMPAGNENT, elles lui donnent sa pleine dimension de rapport le plus intime et le plus absolu entre deux êtres.

Les sentiments, toutefois, ne se commandent pas. Surtout quand ils se heurtent à des émotions aussi violentes que la rancune, l'animosité et l'humiliation, fréquentes lorsque le malentendu conjugal a franchi certains seuils : agressivité mutuelle prolongée, refus sexuel total et, tout particulièrement, infidélité de l'un ou des deux partenaires. La frustration, l'orgueil et l'instinct de possession se montrent alors mauvais conseillers. Ils inspirent en effet des attitudes de rétorsion qui, en dernière analyse, ne peuvent qu'accentuer davantage le désespoir d'êtres qui souffrent déjà suffisamment. Seuls la prise de conscience de leur mutuelle détresse apaisera leurs ressentiments, laissera s'exprimer l'amour qu'ils n'ont jamais cessé d'éprouver l'un pour l'autre, et leur rappellera qu'ils sont solidairement les seuls artisans de leur malheur ou de leur bonheur. S'ils choisissent la voie de la compréhension, ce n'est pas seulement le bonheur qui les attend, mais également leur épanouissement le plus complet. Cette certitude formera l'axe principal de ma conclusion.

CONCLUSION

L'EPANOUISSEMENT DU COUPLE

Le malentendu conjugal forme un tout logique. Selon les circonstances, le milieu social et les caractères des conjoints, il se présente certes sous des aspects fort différents, mais son mécanisme demeure toujours identique : les deux partenaires se méprennent sur les sentiments qu'ils éprouvent l'un pour l'autre. Sa chronologie enchaîne immanquablement les mêmes étapes et n'en omet aucune, si le couple ne prend pas conscience suffisamment tôt du jeu mystificateur des apparences.

On comprend ainsi toute l'importance que je n'ai cessé d'accorder au stade du malaise initial. Temps du calme apparent mais trompeur, temps de la montée des orages, mais temps où la bonne volonté et l'affection rencontreront leurs plus faciles succès. Moment délicat dont il faut savoir déceler les plus petits signes, afin de ne pas laisser dériver une situation promise à une constante aggravation.

Toutefois, quelle que soit la gravité du stade atteint par le malentendu, le couple demeure toujours en mesure d'en dissiper lui-même les effets. Nous avons vu comment et par quels moyens. Son problème réglé, il ne lui faut pas cependant retomber insensiblement dans le piège de la routine. Il ne devra jamais oublier que l'amour se PROUVE. Il est fort agréable d'éprouver des sentiments, mais encore faut-il les manifester à l'être aimé, faute de quoi celui-ci restera dans l'ignorance de l'amour dont il est l'objet. Pour lui, cet amour N'EXISTERA PAS, aussi profond et sincère soit-il. Nous avons vu les fâcheuses conséquences d'une telle conviction, même si elle s'avère dénuée de tout fondement.

Or, si le manque d'amour ou la seule impression d'en être privé nous défait, ce même amour nous métamorphose quand il nous est accordé. Ne nous arrêtons pas au sens par trop romanesque et un peu mièvre que certains attribuent au mot amour. Celui dont je parle n'intéresse pas les auteurs de romans-photos. Il est plus simple, plus quotidien et plus vrai.

Etre aimé, c'est se sentir estimé, tendrement regardé, désiré. Comment ne pas se trouver moralement conforté par de telles marques d'attention, par un tel crédit ? Comment ne pas se montrer tel que l'autre nous voit ? C'est cela le miracle de l'amour, il nous révèle à nous-mêmes.

La formule que je viens d'employer n'a rien de littéraire. L'amour possède bel et bien un effet psychologique indéniable. Il agit comme un euphorisant et libère en nous des aptitudes habituellement inutilisées. Il ne nous transforme pas, il nous épanouit, nous subjugue, permettant ainsi l'émergence de toutes les richesses de notre personnalité. C'est du reste ce que nous ressentons quand nous sommes amoureux. Nous éprouvons alors un sentiment de légèreté, de dynamisme, de joie au sens le plus fort du terme, qui donne à la vie une densité et une saveur sans pareilles. Impressions fugitives ? Oui, si l'amour demeure sans lendemain et conduit à la formation d'un couple rapidement englué dans ses habitudes. Non, si l'amour devient lui-même source d'amour.

Prenons un exemple pour illustrer ce dernier propos. La femme QUI SE SAIT désirée sera désirable. Elle adoptera naturellement les gestes et les attitudes qui la rendront encore plus séduisante et son compagnon ne la désirera que plus. Epanouie, heureuse, elle traduira dans toutes les activités de sa vie quotidienne ce surcroît de confiance en soi conféré par l'amour. Aimée, elle n'en aimera que davantage l'homme qui l'aura faite femme pleinement consciente de sa féminité. Partenaire qui, par l'effet de la tendresse et du désir de sa compagne métamorphosée, connaîtra à son tour son plein épanouissement, dont cette même compagne ne manquera pas de bénéficier. Ainsi, la boucle sera refermée. Elle pourra tourner sur elle-même indéfiniment, puisqu'elle tire de sa propre substance le moteur de son mouvement.

J'ai écrit que le malentendu conjugal s'aggravait selon le mécanisme du cercle vicieux. L'amour mutuellement prouvé représente, pour sa part, un cercle bénéfique. Il produit toujours plus de plénitude à partir du bonheur, et transforme deux conjoints en AMANTS. C'est-à-dire en deux êtres magnifiés par l'amour, dont l'existence quotidienne porte à tout instant la marque de la joie intime qui les transfigure.

Je souhaite à tous les couples de découvrir cette dimension d'eux-mêmes, que, le plus souvent, ils ne soupçonnent pas. Malheureusement.

Cannes, le 6 mars 1983.

TABLE

Achevé d'imprimer en janvier 1984
sur presse CAMERON
dans les ateliers de la S.E.P.C.
à Saint-Amand-Montrond (Cher)

Nº d'édition : 0043.
Nº d'impression : 2576-1834.
Dépôt légal : février 1984.
Imprimé en France